과학을 통한 발명

창의력이 답이다

도서출판 세화

인공지능을 이길 수 있는 유일한 키워드, 창의성

지금 세상은 창의력 시대다. 소위 정보혁명으로 불리는 제3차 산업혁명을 넘어 이제는 제4차 산업혁명이 시작되었다. 초연결(hyperconnectivity)과 초지능(superintelligence)을 특징으로 하는 제4차 산업혁명의 물결 앞에서 모든 인간들은 인공지능이 대체할 자신의 미래에 대해 불안해하고 있다. 그런데 이 4차 혁명에 대비하는 해결책 역시 창의성이 키워드이다.

인간이 인공지능에게 이길 수 있는 단 하나의 길은 창의성을 발휘하는 것이다. 그것만이 제4차 산업혁명의 물결이 세상을 휩쓸더라도 우리가 자신의 자리를 인공지능에게 빼앗기지 않고, 인간의 존엄성을 지키는 길이기도 하다.

중국의 알리바바 창업자 마윈은 가난한 배우 집안에서 태어나 수학문제는 101문제 중에서 1문제를 풀 정도의 실력이었다. 그리고 24명 중 23명의 알바생을 뽑는 데서 유일하게 떨어졌는데도 전혀 굴하지 않고, 무일푼으로 시작했다. 그리하여 자신의 창의력으로 불과 20년 만에 아시아 최고 부자이자, 세계 15위 부자가 되었다.

어떻게 그럴 수 있었을까? 바로 무(無)에서 유(有)를 탄생시키는 것이 창의성의 힘이다. 마치 마법 같지만, 창의성은 우리 안에 있다. 단지 우리가 창의적인 요소를 끌어낼 생각조차 하지 않고 있는 것이 창의성을 가로막는 장애물일 뿐이다.

창의성은 그리 거창한 것에서 시작하지도 않는다. 하늘 아래 새로운 것도 아니다. 창의적인 생각은 기존에 존재하던 것을 재배열하는 것에서부터 출발한다. 마치 콜럼버스의 달걀과도 같은 것이다. 알고 보면 단순해 보여도, 그 생각의 단서를 먼저 떠올리지 못하는 차이에서 창의적 인간과 그렇지 못한 인간의 차이가 갈린다. 그것은 간단해 보여도 하늘과 땅의 간극만큼 멀다.

콜럼버스는 기나긴 신대륙 항해를 마치고 돌아왔다. 이런 콜럼버스를 축하하기 위해 거대한 파티가 열렸다. 많은 사람들이 콜럼버스의 귀환을 축하해주고, 그의 업적을 추켜세워 주었다. 하지만 으레 남의 성공에 대해 질투를 하는 사람들이 있기 마련이듯, 어떤 사람들은 콜럼버스를 시기했다.

그래서 콜럼버스의 업적에 대해 누구나 할 수 있는 쉬운 일을 한 것처럼 비아냥거렸다. 콜럼버스는 이러한 사람들에게 대놓고 뭐라고 하지는 않았다. 대신에 그 사람들에게 한 가지 문제를 냈다. 바로 달걀을 세워 볼 것을 요구했던 것이다.

그러자 파티에 모인 그 누구도 달걀을 세우지 못했다. 이에 콜럼버스는 달걀을 살짝 깨뜨렸다. 그리고 탁자 위에 달걀을 세울 수 있었다. 그 장면을 본 사람들이 "뭐 별것 아니네!"라면서 다시 콜럼버스를 조롱했다. 콜럼버스는 그런 사람들에게 말했다.

"누군가를 모방하는 것은 쉬워 보이지만, 무슨 일이든 그걸 처음 생각하는 것은 어려운 겁니다."

창의성은 이와 같은 이치다. 바로 '콜럼버스의 달걀' 처럼 하고 나면 너무 쉬워 보이지만, 그걸 처음으로 생각해내는 것은 아무나 할 수 있는 일이 아니다. 그 고정관념을 깨뜨리고, 생각의 틀을 깨고 나오는 것이 힘든 것이다.

이 책은 '콜럼버스의 달걀' 처럼 생각의 전환을 이끌기 위해 세상에 나왔다. 바로 대한민국의 마윈을 탄생시키기 위해 교사와 학생이 함께 노력하며 만든 책이다. 이 책을 통해 우리의 창의력으로 세상을 바꿔보는 건 어떨까. 창의성은 바로 독자 여러분 안에 있으니까 말이다.

저자 씀

Contents

Contents

CHAPTER 01

인생의 올바른 삶의 성품과 창조적인 사고

1 연말은 삶의 궤도를 점검하고 수정하라는 신의 계시다

매년 연말이 다가오고 새로운 한해를 준비할 때가 되면 대부분의 사람들은 자신을 돌아보는 것이 인지상정이다. 연말이 다가오면 여러분은 어떤 생각과 어떤 말이 떠오르는가?

자신에게 "너 참 열심히 살았다.", "올 한 해 너 대단했어.", "목표한 대로 모든 것이 이루어졌어."라는 성취감과 뿌듯함인가? 아니면 "아! 내가 왜 최선을 다하지 않았지?", "아직도 제자리구나."라는 후회와 아쉬움인가가? 12월 31일이 되면 많은 사람들이 1월 1일 떠오르는 태양을 보기 위해 동쪽으로 간다. 그리고 떠오르는 태양을 보며 소원을 빌고 간절히 이루어지길 갈망한다.

왜 사람들은 1월 1일 떠오르는 태양을 이렇게 열망할까? 12월 31일 떠오른 해나 1월 1일 떠오르는 해나 같은 태양인데 말이다. 나이 한 살 더 먹게 되니 철이 들어서인가? 새해가 다가오니 무언가는 해야 할 것 같고 해가 떠오르는 그 자리에 있어야 손해 보지 않을 것 같고 다른 사람의 기운이라도 받겠다는 소심한 자발적 행동인가?

새해가 되면 "새해 복 많이 받으세요."라는 덕담을 주고받는다. 그런데 복 받는 사람은 따로 있다. 복 받으라는 말을 아무리 많이 들어도 복이 들어오지 않는다. 복 받을 행동을 해야 하는 것이다.

동쪽으로 가는 것은 다짐이나 결심, 그리고 이제는 다르게 살겠다는 의지의 표현일 수 있다. 문제는 복 받을 그릇을 만들고 준비해야 하는데 그런 노력은 없다는 것이다.

로켓이 발사대를 이륙한 후 20초간 900m 상공까지 치솟은 뒤 남쪽으로 방향을 돌려 태평양 상공으로 향하는 동작을 전문적인 용어로 킥턴(kick-turn)이라고 한다. 지구는 서에서 동으로 돌고 있기 때문에 모든 대기 순환도 서에서 동으로 이동한다. 따라서 지구의 자전속도는 같지만 선속도는 원 궤도가 가장 큰 적도부근의 대기 순환이 가장 빠르다.

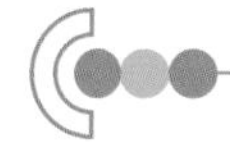

따라서 우주로 발사된 로켓이 적도지점으로 접근하면서 동쪽으로 로켓이 진행하면 훨씬 빠르게 우주로 진입할 수 있다. 로켓이 동쪽이 아닌 극이나 서쪽으로 날아가도 이론상 우주에 진입할 수 있다.

그러나 대기흐름이 역행하기 때문에 많은 시간과 다량의 연료 소모뿐 아니라 대기 마찰이 커져서 속도 감속으로 정상궤도 진입에 큰 문제를 일으키거나 폭발할 수 있다. 대부분의 사람들은 인생을 열심히 살고 있다. 그러나 원하는 목표나 꿈을 이루지 못하고 있다. 로켓이 동쪽이 아닌 방향으로 가면 문제가 되는 것처럼 나의 삶의 방향이 잘못된 것은 아닌지 고민해야 한다. 삶의 문제점이나 실마리가 보이지 않고 꼬일 때 기존의 패턴을 바꾸어야 한다. 안 되는 일을 계속 고집하면 결국 좋은 결과를 얻기는 어렵다. 이런 상황에서는 삶의 궤도를 수정해야 한다. 물이 고이거나 흐름이 늦어지면 썩기 마련이다. 삶의 흐름이 약해지고 고루해지면 변화는 일어나지 않고 되레 변질이 된다. 반복되는 하루는 지루하며 희망이 없다. 나의 삶이 지루하여 변화를 주고 싶다면 삶의 속도를 높이고 궤도를 수정하자. '이대로 충분해' 라고 생각하는 순간 현상유지도 할 수 없다. 자전거는 페달을 밟는 것을 멈추는 순간 곧 넘어진다. 세상의 험난한 파도가 올 때 파도에 파묻히는 것이 아니라 파도의 흐름과 기회를 포착하여 거대한 파도의 터널을 서핑하는 멋진 인생이 되기 위해서는 삶의 궤도를 수정하는 것이 필요하다. 학생의 시기는 '나의 것' 을 찾는 시기이다. 따라서 여러 가지 방법으로 시도해 보는 것이 중요하다.

존 고든은 "꿈을 품고만 있어서는 안 된다. 꿈은 머리로 생각하는 것이 아니다. 가슴으로 느끼고 손으로 적고 발로 뛰는 게 꿈이다"라고 했다. 나의 꿈을 이루는 것은 해가 뜨는 동쪽에 있는 것이 아니라 가슴 깊은 곳에서 뜨겁게 타오르는 열정의 에너지가 떠올라야 한다.

지금 우리나라는 너무나 어지럽다. 너무 극렬한 주장과 말솜씨가 판을 치고 있다. 그러나 누구의 말이 옳고 그른지를 따지기보다 과연 나는 말하는 대로 살고 있는지, 그리고 나의 삶이 다른 사람에게 좋은 영향력을 주고 있는지를 생각하는 것이 더 중요하다고 생각한다. 연말은 자신의 삶을 뒤돌아보고 나에게 얼마나 집중하고 투자하고 있는지를 고민하며 반성하고 문제점을 수정하여 그것을 토대로 새로운 방법과 방안을 모색해야 하는 시간이다. 결단과 보다 바람직한 삶의 방향성이 필요한 시기이다. 새해가 다고오고 있다. 삶의 궤도를 수정하고 나의 낡은 습관과 행동에서 탈출하여 새로운 기회를 만들자.

우리나라 속담에 대기만성이라는 말이 있다. 큰 그릇은 시간이 걸린다는 이야기인데 생각할 것은 스스로 그릇을 만들어 가고 있느냐이다. 연초에 그토록 되기 위해서 간절히 원했지만 이루지 못한 이유는 무엇인가?

세 가지 경우의 수가 있다. 첫 번째는 말뿐이지 행동하지 않은 게으름이다. 이런 상황에서는 아무것도 이룰 수가 없다. 두 번째는 아직 때가 되지 않은 것이다. 제대로 가고 있지만 아직 티핑포인트(tipping point)에 도착하지 않은 것이다.

티핑포인트란 봄을 알리는 개나리나 벚꽃이 대기온도가 약 15℃를 넘어갈 때 순식간에 만개하는 것과 같은 것이다. 15℃라는 크리티컬 메스(임계점)에 이르지 못하면 꽃을 피우지 못한다. 이와 같이 우리의 꿈도 내면에서 점점 무르익어가다가 티핑포인트를 지나는 바로 그 순간 이루어지는 것이다.

개그맨 유재석 씨도 10여 년의 무명 시절이 있었다고 한다. 그 10여 년의 무명 시절은 아무 것도 보이지 않는 터널 같은 나날이었지만 자신을 단련하고 꿈을 이루기 위해 노력한 결과 오늘의 대스타가 되었다. 인생의 온도계가 티핑포인트를 넘어가는 순간 자기 내면의 꽃을 활짝 피어낸 것이다.

2 후회하는 인생이 되기 싫으면 디테일한 행동을 하라

미국의 한 보험사에서 근무하던 허버트 윌리엄 하인리히는 노동관련 사고를 조사하다가 매우 흥미로운 사실을 알게 되었다. 산업재해로 중상자 1명이 나오면 그전에 같은 원인으로 경상자 29명이 있었으며 역시 같은 원인으로 부상을 당할 뻔한 아찔한 순간을 겪은 사람이 300명 있었다는 것이다.

하인리히는 이 같은 이론을 「산업재해 예방 : 과학적 접근(1931)」이라는 책에서 소개했고 그때부터 '하인리히 법칙'이 됐다. '하인리히 법칙'은 대형사고가 일어나기 전에 그와 관련한 작은 사고와 징후가 반드시 존재한다는 것을 밝힌 법칙이다. 즉 일정 기간에 여러 차례 경고성 전조가 있지만 이를 내버려두면 큰 재해가 생긴다는 것이다.

세월호 침몰은 대한민국 모든 국민을 경악하게 하고 엄청난 트라우마를 남긴 매우 슬프고 안타까운 사고이다. 깊은 상처를 받은 유족들의 좌절과 분노를 어찌 말로 다 표현할 수 있을까? 이 사고는 무사안일주의와 주인의식의 결여가 만든 대참사이다.

지금까지 드러난 정황을 종합하면 세월호는 여러 징후를 무시하다 참사를 빚은 '하인리히 법칙'의 전형적 사례로 보인다.

사고 이후 관련자의 증언을 통해 세월호에 크고 작은 징후가 여러 가지 있었다는 사실이 드러나고 있다.

먼저 직원들의 기본 안전교육은 물론 항해 시 생길 수 있는 다양한 위험과 사고에 대한 철저한 준비와 훈련이 부족했다. 다시 말해 안전불감증이 있었다. 이러한 것이 작고 사소한 300여 번의 징조인 것이다. 이러한 징조들을 방치하던 세월호는 후미를 증축해 정원을 117명 늘리고, 무게도 239톤 늘리는 등의 선박 개조를 해서 배의 안정성을 떨어뜨리기까지 했다.

또한, 배의 핸들에 해당하는 조타기의 이상 징후를 무시했으며 많은 화물을 적재하기 위해서 배의 복원력에 중요한 평행수를 조작하였다고 한다. 이것이 29번 정도의 작은 사고로 연결되었고 이러한 위험을 알리는 신호에 '설마 사고가 나겠어!' '여태껏 잘 해왔는데…….'라는 무반응과 무대책으로 방조하다가 결국 천하보다 귀하다는 한 사람도 아닌 300여 명이 넘는 고귀한 생명을 잃는 어처구니없는 대형사고로 연결되었다.

미국의 소설가인 마크 트웨인은 "우리는 그 일이 일어날 것이라는 사실을 모르기 때문이 아니라 그런 일이 일어나지 않을 것이라는 막연한 믿음 때문에 위험에 처하게 된다"고 했다.

이번 세월호 참사는 갑자기 일어난 것이 아니라 그동안 우리들의 잘못된 가치관과 잘못된 습관과 '이 정도면 되겠지'라는 안일한 생각 등이 엄청난 결과로 연결된 것이다.

작은 문제나 현상, 잘못된 행동을 방치한다면 세월호가 침몰하듯이 우리의 인생도 깊은 나락으로 빠져 다시는 돌이킬 수 없는 지경으로 떨어질 수 있다.

성경에 "욕심이 잉태한즉 죄를 낳고 죄가 장성한즉 사망을 낳느니라."라는 구절이 있다.

사소한 것을 우습게 생각하는 것도 문제지만 이치에 맞지 않는 생각에 사로잡혀 엉뚱한 방향과 편법을 쓰다가 결국 잘못되는 경우가 허다하다.

홍성대의 「수학의 정석」은 입시를 준비하는 학생들이 반드시 독파해야하는 것처럼 되어 있다.

수학에 정석이 있듯이, 우리 인생에도 정석이 있다. 기초부터 시작하여 자신의 수준에 맞게 한 단계씩 밟고 올라가 내가 원하는 모습으로 우뚝 서는 것이 삶의 정석이라고 생각한다.

모래 위에 세운 집과 반석 위에 세운 집의 차이는 비바람이 불면 곧 드러나게 되는 것이다. 하인리히 법칙을 역으로 생각하면 나의 디테일한 300번 정도의 작은 실천과 도전이 29번의 작은 성공과 삶의 자신감을 주고 이러한 삶이 연속으로 이어져 결국 1번, 아니 그 이상의 커다란 인생의 성공과 성취감을 가져다 줄 수 있다는 사실을 잊지 말자.

3 안주하는 순간은 위기이고 새로운 도전은 기회이다

이 지구상에 있는 새들은 특이한 환경에서 다양한 방법으로 살아가고 있다. 수많은 새 중에는 날 수 있는 새도 있고 날 수 없는 새도 있다. 세계적으로 날 수 없는 새는 40여 종이 있다고 한다.

날 수 없는 새 중 닭, 펭귄, 화식조, 타조와 모아새, 도도새, 하와이 뜸부기의 차이가 무엇인지 아는가? 앞에 열거한 새는 현존하지만 뒤에 언급된 새는 멸종했다. 생존하는 새와 멸종한 새의 차이는 무엇인가?

타조는 큰 덩치를 가지고 있어 적에게 쉽게 노출되지만 강력한 발톱과 빠른 속도로 달릴 수 있는 다리를 가지고 있어 생존할 수 있었고, 펭귄은 집단생활을 통하여 강추위를 극복하고 수중생활에 잘 적응할 수 있어 생존할 수 있었다.

멸종한 새 중에서 도도새(어리석다는 뜻)는 1500년경 아프리카 동남부 남인도양의 모리스섬에서 포르투갈 선원에 의해 발견되었다. 벗겨진 머리, 구부러진 부리, 짧은 다리 그리고 뚱뚱한 몸통으로 움직이는데 매우 둔한 신체구조를 가지고 있었는데 지천에 먹을 것이 많고 천적이 없었기 때문에 날아야 할 이유가 없었고 결국 날개는 퇴화되었다고 한다. 이 섬에 사람들이 살게 되면서 사람들의 손쉬운 사냥감이었던 도도새는 100여 년 만에 멸종하는 개체가 된 것이다.

이와 같이 경쟁자가 없는 안락한 환경에서 도도새가 멸종할 수밖에 없었던 것처럼 한 국가, 기업, 사람에게도 너무 안락한 것은 위험할 수 있다. 따라서 도도새처럼 되지 않기 위해서는 자신의 생각에 고립되거나 안정된 환경에 머무르는 것에서 벗어나야 한다.

공부하는 학생들을 1등급에서 9등급으로 나누는 현실 속에서 1, 2등급을 유지하는 학생은 1등급짜리 방식의 공부를 하는 것이고, 9등급인 학생은 9등급짜리 방식의 공부를 하는 것이다.

따라서 9등급인 학생이 1등급인 학생을 따라잡기 위해서는 1등급 학생들이 공부하는 방식에 +α 이상의 노력을 해야한다. 많은 사람들은 변화와 새로운 시도에 두려움을 가지고 있다. 그러나 도전하지 않으면 변화는 없다. 자신의 부족함과 문제점을 겸허한 자세로 받아들이고 개방적인 생각을 가져 다른 사람들의 좋은 점과 배울 점을 나의 것으로 만드는 노력이 필요하다.

'이 정도면 되겠지!' 하는 자기만족과 안일함은 더 이상 새로움도 도전도 성장 가능성도 없는 지루한 인생을 만들 뿐이다. 예방주사를 맞으면 그 병에 맞서 싸울 수 있는 면역체계가 생기듯이 가치있는 일에 끊임없이 도전할 때 새로운 기회를 만나고 나의 존재감을 더 크게 할 수 있는 것이다.

4 행복은 자신의 무한한 천연자원 계발이다

왜 사람들은 자신의 무한한 천연자원, 즉 엄청난 잠재능력을 계발하지 못할까. 바로 도전정신과 창의성이 결여되었기 때문이다.

인간은 하고자 하는 의지와 살아가야 할 존재가치와 사랑받고 있다는 행복감을 느낀다면 누구나 삶을 아름답고 멋지게 살 수 있다. 비록 부족하지만 가능성을 발견하고 잠재능력을 발굴하여 꾸준히 동기유발을 주면 위대한 삶을 살아갈 수 있다.

우리나라의 대표적인 기업인 현대그룹의 고(故) 아산 정주영 회장은 인간의 가능성에 대해 다음과 같이 말했다.

"나는 인간이 스스로 한계라고 규정짓는 일에 도전해 그것을 이루어내는 기쁨을 보람으로 여기고 오늘까지 기업을 해왔고, 오늘도 여일하게 도전을 계속하고 있다. 인간의 잠재력은 무한하다. 이 무한한 잠재력은 누구에게나 무한한 가능성을 약속하고 있다. 나는 주어진 잠재력을 열심히 활용해서 '가능성'을 '가능'으로 만들었던 것이다."

창의적인 발상과 끊임없는 도전정신, 불굴의 의지, 문제의 핵심을 찾아 집중하는 능력을 갖추면 우리는 잠재적 가능성을 현실로 바꿀 수 있다. 가능성이 현실이 될 때 우리의 행복지수도 높아진다.

공부 지상주의로 공부를 잘하면 출세와 명예를 보장하고 행복을 가져다 줄 것이라는 우리의 고정관념과 잘못된 가치관이 많은 학생들에게 좌절과 상처를 주고 있지 않은지 다시 한 번 생각해 보았으면 한다.

다양한 사람들이 각자의 능력에 맞는 직종에서 서로 협력하며 도움을 주고받으며 살아가야 하는데, 우리 아이들은 코앞에 닥친 입시전쟁에서 낙오되지 않기 위해 협력보다는 경쟁을 먼저 배우고 있는 것이 현실이다. 그러므로 입시에서 낙오한 학생에게 희망이라는 꿈을 접게 만드는 학교교육 현장이 먼저 바뀌어야 한다.

또 세상에는 다양한 길이 있으며, 오직 한 길만이 정답이 아니라는 것을 자라나는 학생들이 알도록 이끌어주는 것이 교사의 역할인 것 같다.

학생들에게 단순히 지식만 전달하는 교육이 아니라, 더 많은 칭찬과 현명한 진로에 대한 안내가 더 중요하다.

행복한 사람들의 특징은 무엇일까. 그들은 항상 개방적이고 자신을 업그레이드 하려는 성향이 높다고 한다. 모든 일에 적극적이고 도전적이다.

진취적인 사람은 어린 아이에게도 배우려는 자세가 되어 있다. 행복한 사람들은 자신의 고정된 틀을 지키려고 하지 않는다. 언제나 변할 마음의 준비를 하고 있다.

이런 덕분에 행복한 사람들은 사람들과 소통하는 것이 쉽다. 마음의 벽이 없고 자신을 발전시킬 수 있는 거라면 어떤 것이든 받아들이기 때문에 권위의식도 없다. 반대로 불행한 사람들은 이러한 소통이 안 되며 고집불통에다 꽉 막힌 사람이다. 소통이 어려운 사람들은 외로워질 수밖에 없다. 자기 발전도 없고 재능이 있었다고 하더라도 고인 물처럼 썩기 마련이다.

행복한 사람들이 원래 적극적이고 진취적인 DNA를 타고나서 유전자의 결과로 행복해지는 걸까. 아니면 모든 일에 긍정적이고 오픈 마인드라서 그 행동의 결과로 행복해지는 걸까. 그건 보는 관점에 따라 다르겠지만, 분명한 건 일단 자신의 성격을 바꾸는 노력을 한다면 행복으로 가는 길은 멀리 있지 않다는 사실이다.

우리가 설사 행복한 DNA를 타고나지 못했다 하더라도 이 행복해지는 열쇠를 이제 알았다면 후천적으로라도 행복 유전자를 자기 속에 심어놓고 기르는 건 어떨까. 행복은 마음속에 있다는 말이 단순히 사람들을 위로하는 말이 아니다. 우리가 세상일에 대해 어떤 마음의 자세로 대처하느냐에 따라 인생은 달라진다.

5 남과 비교하고 경쟁하지 말고 나 자신에게 집중하자

요즘 부모들은 험난하고 불확실한 시대, 미래가 보장되지 않고 빠르게 변화하는 세상을 살아가야 하는 자녀를 보며 염려한다. 과연 제대로 먹고 살 수 있을지, 앞으로 어떻게 살지 걱정이 많고 궁극적으로 취업난에 대해서도 염려한다. 과거에는 대학을 졸업하면 직장이라도 얻을 수 있었는데 지금은 대학을 졸업해도 취직이 보장되는 것이 아니다. 또 과거 세대만큼 돈을 벌지 못하고 재력을 얻지 못할까 염려한다. 과거에는 아파트라도 하나 장만하면 그 값이 올라서 재테크를 할 수 있었고 돈을 모을 수 있었는데 지금은 더 이상 부동산 값이 오르지 않고 과거처럼 돈을 모을 수 있는 길도 쉽지 않다. 그렇기 때문에 요즘에는 부모님이 도와주지 않으면 자녀 스스로의 힘으로 집을 장만하기도 어려운 시대가 되었고 자칫하면 직업도 없고 수입도 없고 재력도 없는 세대가 될지도 모른다.

부모들은 고민한다. "어떡하면 우리 아이가 행복하게 살 수 있을까?". 특별한 해법이 없다. 그래서 확실한 보험인 좋은 대학에 보내는 것이 열쇠라고 생각한다.

좋은 대학이 좋은 직장으로, 다시 좋은 배우자로, 다시 좋은 인생으로 이어질 거라는 기대와 바람을 가지고 남들이 가는 길을 마냥 따라간다.

이러한 부모의 불안심리가 사랑하는 자녀들에게 그대로 전달되어 자녀는 부모의 눈치를 보고 부모가 모든 것을 해주기를 바라는 마음으로 부모의 행동강령대로만 움직인다. 이러한 생활이 지속되면 마치 미지근한 물 속에 있던 개구리가 물이 점점 뜨거워지는 것도 모르고 가만히 있다가 죽는 것처럼 독립할 시기가 되어도 부모를 맹목적으로 의지하고 떠나지않는 무기력한 상태가 된다. 이를 캥거루족이라 한다.

이런 사회적 분위기에 편승하여 이제는 자녀 스스로 시행착오를 통해 문제를 풀어가야 하는 시기를 생략하고 매 순간 부모가 간섭하며 필요를 채워주고 돌봐주는 극성스런 부모가 많아지고 있다. 이런 부모를 헬리콥터 부모라고 하는데 목표지점을 빙빙 맴도는 헬리콥터처럼 자녀의 주변을 맴도는 부모를 지칭한다.

헬리콥터 부모들은 소위 말하는 인생 성공의 키가 명문대학교 입학에 있다는 신념 아래 최고의 교육 프로그램과 정보전쟁에 뛰어들어 자녀를 교육한다. 우리나라 대학 입시 설명회를 가보면 참으로 요상하다. 당사자인 학생들은 도서관이나 학원에 가 있고 그 설명회의 자리에는 부모들이 앉아있다. 참석한 부모들은 우리 자녀의 적성과 재능에 맞는 대학보다는 수능 점수에 맞는 대학, 미래의 수입이 보장되고 장래가 촉망되는 직업을 갖거나 그런 직장에 들어갈 수 있는 학과 선택에 초점을 맞춘다.

치열한 입시전쟁에서 승리하여 대학생이 된 후에도 교수 면담, 학점 이수, 전공 선택 등 대학생활 전반을 관리함은 물론 취업을 위한 자격증 취득, 취업상담, 구직관련 문의까지 부모가 개입하는 경우가 허다하다. 직장에 들어가서도 연봉협상, 업무 전환, 개인적인 신상문제까지 부모가 대신하는 어처구니없는 신세대 직장인이 생기고 있다고 한다. 자녀를 위한 평생 A/S 기사역할을 하는 부모가 되려고 한다.

이러한 철저한 헬리콥터 부모에게서 자라난 자녀들 중 일부는 심지어 인생의 반려자를 만날 때도 자신의 마음에 드는 상대가 아니라 부모의 마음에 드는 사람을 우선시 하는 경우도 있다고 한다. 젊은이들이 부모에 의해 모든 것을 해결 받는 습관에 젖어들면서 그 편안함에 물들어 인생의 중요한 고비마다 부모가 알아서 해주길 바라며 모든 상황 판단을 부모에게 미루는 일명 마마보이, 마마걸들이 많아지고 있는 것이다.

좋은 대학 입학이 1순위인 나라에서 자녀의 가슴 깊은 곳에서 뜨겁게 올라오는 '나는 어떻게 살아야 하나?'라는 물음은 당분간 2위로 접어둔다. '나의 물음' 이 아니라 '남의 물음' 을 좇아 강산이 변한다는 10년을 넘어 초등 · 중등 · 고등까지 12년간 공부한다. 강산이 한 번 바뀔 동안 '남의 물음' 을 달달 외우고, '남의 답' 을 공식처럼 풀면서 산다. 1순위 때문에 2순위는 수시로 무시된다. 부모들은 자녀에게 이야기 한다.

"대학가서 해", "대학 들어가서 생각해도 늦지 않아", "대학가면 자연스럽게 알게 돼"라며 스스로 위안을 삼는다. 좋은 대학을 들어가면 모든 것이 실타래 풀리듯 잘 될 것이라고 착각한다. 그러나 명심할 것이 있다. 바둑명언에 '따라 두면 진다'는 격언이 있다.

남의 물음에 대답하는 학생은 결국 자신이 진정으로 하고 싶고 잘 할 수 있는 것을 대학가서 찾아야 한다는 것을 알아야 한다. 미루어 둔 일은 언젠가는 해결해야 하고 해결하지 않으면 족쇄로 자리 잡을 것이다.

6 나의 가치, 하늘이 나에게 준 참된 이치를 아는 것이 공부이다

우리나라의 교육은 대학을 가기 위한 수능위주의 공부에 매달리고 대학교에 가서는 취업을 위한 살길에 매달리면서 창의적이고 생산적인 사고나 행동은 특별한 사람만이 하는 특이한 행동으로 취급한다. 따라서 빠르고 쉽고 효과적으로 짧은 시간에 습득하는 교육시스템에 젖어있어 깊이 있는 학문에는 못 미치는 것이라고 생각한다.

나만이 가질 수 있는 능력과 가치를 높이기 보다는 많은 사람들이 지향하는 것, 다른 사람의 존경과 사랑을 받으며 고소득을 보장받는 높은 사회적 지위를 얻는 것에만 집중한 결과 치열한 생존경쟁에 매달려 남과 다른 삶을 살기가 어려워진 것이다. 즉, 독창성이 부족한 교육시스템이 문제이다.

우리나라 교육은 공부의 즐거움이 없다. 또한 장인정신이 부족하다. 기술을 가진 사람보다는 고시에 합격한 사람이 대접받는 세상이다. 대학을 나오고 고시에 합격하면 남보다 좋은 조건과 고액의 연봉을 받는 시스템에서 어떻게 공부가 즐거움으로 다가올 수 있겠는가?

기회가 되어 북유럽국가인 덴마크, 노르웨이, 스웨덴, 핀란드의 학교를 방문한 적이 있다.

다 알고 있듯이 이 나라들은 복지국가이고 GNP가 4만 달러에서 10만 달러에 이르는 잘 사는 나라들이다. GNP가 높아 잘 사는 나라가 되었지만 단순히 잘 사는 것에서 그치지 않고 이 나라의 국민들은 행복을 누리며 살아간다. 누구에게나 동등한 기회가 주어지고 사회적인 지위에 관계없이 동등한 대접을 받기 때문에 가능한 일인 것 같다.

필히 대학교를 나오지 않아도 사회적으로 차별받지 않기 때문에 자신이 하는 일에 대한 자부심과 스스로에 대한 자존감이 높은 사람들이 많다.

그러나 우리나라에서는 대학 간판의 유무에 따라 임금이 달라지는 것이 엄연한 현실이기에, 행복의 가치를 대학에 두고 경쟁하게 되므로 공부의 즐거움은 기대하기가 어렵다.

우리나라에서 자살문제, 성문제, 폭력문제, 왕따문제 등의 사회문제들이 끊이지 않는 것은 혼자 잘 먹고 잘 살기 위해서 공부를 하는 것에 가치를 둔 잘못된 교육시스템이 만들어낸 폐단이 아닐까 하는 생각이 들어 안타깝다.

공부를 잘 해서 훌륭한 인재가 되어 자신의 가치를 다른 사람에게 나누어주고 능력을 발휘하여 좀 더 남을 위하여 살고 어렵게 사는 사람들에게 희망을 주는 공부가 되어야 한다.

공부는 장인 공(工)과 아비 부(夫)가 합해진 말이다. 다시 말하면 지식을 습득하는 것은 1차적인 것이고 여기에서 끝나는 것이 아니라 하늘 천(天)에 삐져나온 의미로 하늘의 이치를 깨닫는다는 것이 진정한 공부의 의미다.

우리의 현재 공부는 기술이나 지식을 습득하는 일에서 대부분 끝난다. 하늘의 이치, 나의 가치, 하늘이 나에게 준 참된 이치를 알고 자신의 능력을 사회에 투입하고 적용하며 활용할 수 있도록 하여 많은 사람에게 행복을 주는 것이 참된 인재가 아닐까?

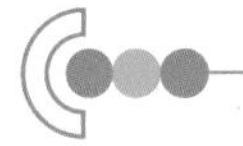

7 인생은 '선택과 집중'이 필요하며 창의적 능력이 핵심이다

핀란드 교육시설을 참관할 기회를 얻은 적이 있다. 핀란드 학생들은 우리나라의 고3 정도 되는 시기에 자신의 진로에 대한 충분한 진로탐색이 가능하다. 또 대학에 진학해 학과를 선택한 후에도 대학교에서 학생들에게 학과에 따른 정보를 계속 제공해준다. 자신의 적성과 하고자 하는 일과의 연계성을 학생 스스로 결정하고 후회가 없도록 1년 유예기간까지 준다는 것이다. 진로에 대한 이런 세심한 배려가 핀란드 교육이 세계 1위를 할 수 있는 원동력이 아닐까.

그러나 알다시피 우리나라 학교에선 공부 잘하는 학생과 못하는 학생으로만 나눠 진로를 결정짓는다. 학생의 개성과 능력, 다양성을 존중하는 진로 교육만 있다면 좀 더 일찍, 다양한 꿈들을 활짝 펼칠 수 있지 않을까. 학창시절에 자기 자신부터 진지하게 바라보고 고민할 시간을 많이 가져야 한다. 자신이 원하는 진로에 대해서 자신의 멘토를 찾아보고 더불어 다양한 사람을 만나보는 것이 중요하다. 스스로 노력하고 도전하고 느낀 만큼 꿈꾸는 영역이 확장되는 것이다.

세상을 먼저 살아온 어른들 중에는 자신이 이루지 못한 일이나 꿈에 대한 아쉬움과 동경이 잔상효과로 남아 자녀의 적성과는 아무 상관없는 편향된 인생길을 안내하곤 한다. 이러한 사람들은 자신의 생각과 다르면 흑백논리처럼 행동하며 무조건 아군과 적군으로 나누어 판단한다.

부모가 제시하는 20~30년 전의 인생 노하우는 참조만 할 뿐이지 하루가 다르게 모든 것들이 변해가는 현재 시점에는 절대적인 진리가 아니라는 걸 깨달아야 한다. 새로워지기 위한 원리에서는 채우는 학습이 중요하다. 콩나물을 키우는 것은 1%의 물이다. 계속 물을 주면서 지식을 채워야 한다.

그리고 그 지식이라는 범위도 너무 넓기 때문에 가장 중요한 것을 선택하여 그것에 집중하는 것이 필요하다. 인생은 모든 것을 선택하고 집중하기에는 너무 짧다. 그러므로 자신의 적성에 맞는, 자기가 하고 싶은 일을 선택하여 인생을 그곳에 집중하는 것이 삶을 현명하게 살아가는 인생의 법칙이다. '선택과 집중'을 항상 기억하자.

이 세상에 태어날 때 신이 나에게 준 선물, 즉 가치와 능력, 다시 말하면 잠재능력을 발견하고 의미를 부여하는 것은 매우 중요한 것이다. 조벽 교수는 재능이 관심사를 만나면 누구나 인재가 될 수 있다고 하였다. 미국 버지니아 공과대학 교수인 데니스 홍 교수는 6살 때 스타워즈라는 영화를 보고 감동하여 로봇공학자가 되겠다는 구체적인 꿈을 갖게 되었다고 한다. 그리고 그 꿈을 이루기 위해 다양한 경험에 도전했다. 각종 화약실험과 전자제품 분석 및 분해를 통한 구체적인 실험정신이 그 꿈을 성취할 수 있게 해주는 모티브가 된 것이다.

잘 되는 사람과 잘 안되는 사람의 차이는 말로만 하느냐, 행동으로 보여주느냐이다. 금속물질이 자석을 만나면 달라붙는 것처럼, 우리의 인생도 내가 진정 원하고 가치 있는 일이나 사건을 만나면 일취월장 승천할 수 있는 원동력을 가지게 된다는 것이다. 자신의 가치와 능력, 그리고 할 수 있다는 신념은 한 사람의 인생에 커다란 궤적을 그리고 위대한 힘을 발휘할 수 있다.

무엇을 시작하는 일은 대단한 일이다. 많은 사람들이 무슨 일을 시작도 하기 전에 이 일은 가능성이 희박하다고, 무모한 도전이라고, 시간적으로 불가능하다고, 그래서 절망적이라고 생각하며 시도조차도 하지 않는다. 그러면서 불평불만에 넋을 놓고 있는 일이 비일비재하다.

일을 시작할 때 충분한 준비와 철저한 자기관리 및 구체적인 핵심내용을 정하지 않는 경우도 많고 상황에 따라 능동적으로 대처하는 방법을 몰라 중간에 발목 잡히는 경우도 많다. 도전을 통해 자신의 비전을 재발견하고 타인과의 소통과 관계 및 새로운 방법의 연결을 찾아야 한다. 한 사람의 인생 변화의 시작은 '문제'와 '희망(꿈)'이고 그것을 채워주는 '방법'과 '가치'가 바로 원동력이 되는 것이다. 따라서 무언가를 실천하고자 계획하는 사람은 필히 꿈을 안고 시작해야 한다. 자신의 뜻과 꿈을 정하고 도전한 일에 대해서는 확실하게 마침표를 찍는 것이 중요하다. 작은 일이든 큰일이든 계획하고 설계하여 실행에 옮기고 문제점을 발견하고 수정하고 새로운 방법을 추가하여 목표에 도달하는 것은 매우 중요한 덕목이고 이를 통하여 성취감을 얻는 것은 매우 중요하다. 이런 성취감이 인생을 행복하게 하고 새로운 도전과 자신의 존재감을 통한 인생의 참 맛을 알 수 있게 해준다. 즉, 시작한 일을 끝내는 능력은 위대한 일이라고 할 수 있다.

「아프니까 청춘이다」라는 책을 써서 많은 젊은이에게 삶의 방향을 제시하고 있는 김난도 교수는 인생은 속도가 아니라 방향이 중요하다고 했다. '지금 내가 어디로 가고 있는가?'가 중요하다는 것이다.

많은 사람들이 자신의 인생의 성공적인 삶을 추구하고자 자신의 능력이나 가능성보다는 세상의 제도에서 밀리지 않고 경쟁에서 살아남기 위한 끝없는 전쟁을 벌이고 있다. 남보다 앞서가기 위해서이다. 그러나 빨리 가는 것이 중요한 것이 아니다.

빨리 가는 것보다 올바른 방향으로 가는 것이 더욱 중요하다. 인생의 시계보다는 목표를 정하고 내가 가장 잘할 수 있는 분야에 필요한 도구나 능력을 키워서 나만의 방식을 유지하면서 보폭을 맞추어 갈 때 지치지 않고 끝까지 갈 수 있는 것이다. 그리고 중간 중간 내가 잘 가고 있는지 확인하고 점검하고 수정하고 방향을 재설정할 수 있는 나침반이 필요하다. 여유로운 마음과 혼자 가는 외로운 길이 아닌 공감대를 형성하여 함께 할 수 있는 동역자와 즐거운 행보를 걷는 것이 중요하다. 인생이란 지금 당장은 이것이 가장 중요하고 급하고 이것이 아니면 안 될 것 같고 이것을 이루지 못하면 더 이상 기회가 없고 살아가야 할 희망이 보이지 않아 결국 좌절하고 절망의 나락으로 추락하는 것 같지만 인생의 길은 여러 갈래이고 인생의 정답은 하나가 아닌 수많은 답으로 이루어진 것을 아는 지혜가 필요하다.

8 남보다 뛰어남이 아니라 남과 다른 나를 만들어 가는 것이 행복으로 가는 힐링코스이다

머리 좋고 공부를 잘하는 학생들의 특징을 보면 상황판단이 빠르고 분석을 잘하며 이것이 나에게 이익을 줄 것인가? 아니면 손해가 될 것인가?에 대한 분별력이 우수하다. 공부를 잘하는 학생들을 지도하면서(다 그런 것은 아니지만) 느끼는 감정은 얄미움이다. 자신이 하고자 하는 일에 도움이 되면 집중하고 최선을 다하지만 도움이 되지 않는 일에는 요지부동하는 경우를 자주 본다. 여기서 말하고 싶은 것은 모험심이 약하다는 것이다.

현재 자신이 하는 일에는 충실하지만 새로운 일을 할 때에는 새로움에 대한 두려움과 기존에 하던 일에 방해가 되지는 않는지에 민감하다. 이러한 학생들이 새로운 것을 할 경우 반응하는 것을 보면 누가 해본 적이 있는가? 더 효과적인 방법은 무엇인가? 다른 사람은 어떻게 했는가? 남들은 하고 있는가? 이런 것에 민감하다. 남들이 해보지 않은 것을 하기 보다는 누가 어떻게 했는지를 먼저 알아보고 나도 할 수 있을지를 판단하고 상황을 분석하려는 경향이 강하다. 그것이 현명하고 지혜로운 것처럼 보이지만 답답하고 창의적이지 못한 것이다.

사람마다 사정이 조금씩 다르기 때문이다. 그렇기 때문에 우리는 늘 새로운 일을 접하는 것이지 똑같은 일을 접하는 것이 아니다. 이런 상황에서 남은 어떻게 하는가를 생각하는 것은 도움이 되지 않는다. 왜냐하면 나의 지금 이 상황과 똑같은 상황을 만난 사람은 없기 때문이다. 우리가 가는 길은 늘 새로운 길이지 남이 가본 적이 있는 길이 아닌 것이다. 그러므로 우리가 어떻게 대처해야 하는가를 새로 찾아야지, 누구를 흉내 낼 수 있는 것은 아니다.

우리나라의 교육문제, 이것도 과거를 돌아본다고 해결책을 얻을 수 있는 게 아니고 남의 나라를 흉내 낸다고 해법을 얻을 수 있는 것도 아니다.

말콤 글래드웰이 쓴 「다윗과 골리앗(부제 : 약자가 강자를 이기는 기술)」이라는 책에서 지은이는 항상 승승장구하던 골리앗이 연약해 보이는 다윗에게 처참히 무너지는 것에 주목한다. 그것은 다윗만의 방법으로 싸운 결과이다. 골리앗이 항상 이긴 까닭은 골리앗의 싸움 방식, 즉 골리앗이 가장 잘하는 방법을 상대방도 똑같이 사용했기 때문이다. 엄청난 키와 힘을 가지고 칼과 창을 자유자재로 쓸 줄 아는 골리앗과 같은 방법으로 칼과 창을 들고 가까이 붙어서 싸움을 하니 골리앗을 이길 수가 없었다. 이런 싸움은 백전백패가 될 수밖에 없다. 이에 비해 다윗은 강자인 골리앗의 규칙을 따르지 않고 자신의 방법으로 싸웠다. 그것은 멀리서 물맷돌을 던지는 것이었다. 이것이 약자가 강자를 이기는 방법이다.

남의 방식이 아닌 자신의 방법으로 싸우는 것이다. 그래야 언더 독(사회적 약자나 실패자의 의미)이 안 되고 탑 독(사회적 강자나 승자를 의미)이 될 수 있다. 아인슈타인은 어릴 때 수학과 과학에는 우수한 능력을 보였지만 다른 과목은 낙제점에 그쳤다. 이러한 상황에서 그의 어머니는 "네가 다른 사람과 같아지려고 한다면 너는 결코 성공할 수 없지만, 네가 잘하는 그것으로 남들과 다른 사람이 되려고 한다면 너의 인생은 위대해질 것이다." 라고 조언했다. 어머니의 조언에 따라 자신이 잘할 수 있는 쪽으로 노력한 결과 아인슈타인은 우주의 시간 공간 개념에 있어 획기적인 상대성 이론을 밝혀낸 위대한 과학자가 되었다. 대학 알리미라는 자료를 인용하면 2013년 4월 현재 주요대학 정원 초과 학생 규모가 평균 130% 이상이라고 한다. 약 30%의 학생들이 졸업을 하지 않고 졸업을 유보하는 것이다. 그래서 최근에 '대학 5~6학년생' 이라는 신조어가 생기고 요즘 대학생들 사이에서는 '앗싸' 라는 단어가 유행한다고 한다. '아웃사이더' 의 줄임말인 '앗싸' 는 모든 인간관계를 단절하고 취업 준비에 '올인' 하는 학생들을 일컫는 말이다.

취업준비생은 갈 직장이 없다고 하고 기업에서는 쓸만한 인재가 부족하다고 한다. 왜 그럴까? 기업들은 전문성(관심분야의 지식), 인성(인간의 기본 됨됨이), 영성(영감과 창조성, 상상력)을 갖춘 인재를 바라고 있다. 그러나 우리나라 학생들은 전공보다는 토익공부에 매달리고 모두가 경쟁상대인 나머지 인간관계가 낙제점이며 틀에 박힌 공부로 창의적인 사고와 미래를 내다보는 안목이 부족하여 뜬구름 잡는 공부를 하고있다. 편하고 쉬운 방법, 남과 같은 생각과 방법, 원하는 것이 같은 상황에서 경쟁은 더더욱 치열해질 수밖에 없는 것이다. 모두가 공부를 잘하고 좋은 대학과 장래가 보장되는 직장을 갖는 것이 성공이라고 생각한다. 공부를 잘한다는 것은 익숙한 것에 탁월해지는 것이 아니라 탁월해질 수 있는 일에 익숙해지는 것이다. 다윗은 자신의 능력을 자신의 것으로 끝낸 것이 아니라 나라를 구하는 것으로 크게 사용했다. 좋은 직장, 좋은 직업이 아니라 내가 아니면 안되는 일. 즉 계속해서 발전하고 사람들에게 영향력을 미치고 기쁘게 쓰이는 사람이 진정으로 성공한 사람이 되는 것이다. 성경의 달란트 비유는 남과 다른 나의 능력을 분별하고 가진 재능으로 세상에서 쓰임 받고 세상을 이롭게 하는 것을 말한다. 이것이 기대에 부응하는 삶이다. 다윗의 현명한 모습과 행동을 본받고 나의 길을 가자.

9 인생의 주인으로 살아갈 것인가? 종으로 살아갈 것인가?

인생의 주인으로 살 것인가? 아니면 종으로 살 것인가? 그것은 선택이다.

tvN방송의 스타 특강이라는 프로에 출연한 박경림 씨가 자신의 이야기를 했다. 박경림 씨는 자신이 방송인의 꿈을 꾸게 된 계기가 초등학교 봄소풍이었다고 한다. 그날 장기자랑 사회를 맡은 5학년 1반 반장이 김밥을 먹다가 급체를 하는 바람에 사회를 못 볼 상황이 되었다. 오락 프로그램 진행 책임자였던 선생님은 당시 2반 반장이었던 박경림 씨에게 와서 사회를 볼 수 있겠냐고 물어 보셨다고 한다. 사회를 한 번도 본 적이 없었던 그녀는 "제가 어떻게 봐요. 전 못해요."라고 했단다. 그랬더니 담당선생님이 쿨하게 "그래 그럼 3반 반장시키지 뭐"하면서 가시더란다. 갑자기 오기가 발동한 박경림 씨는 "선생님, 제가 할게요."라고 말했다고 한다. 일단 하기로 했지만 1,000명이 넘는 학생들 앞에서 자신이 사회를 볼 것이라는 것은 상상도 못했기 때문에 가슴이 쿵쾅거리고 너무 떨려서 진정이 되지 않았다고 한다.

무대에 올라간 박경림 씨는 아이들을 쳐다보지도 못하고 고개를 숙인 채 떨리는 마음으로 "안녕하십니까. 5학년 2반 반장 박경림입니다."라고 말하며 고개를 들었는데, 어느 순간부터 떨지않고 있는 자신을 발견하고 자신감을 얻어 신들린 진행을 하였다고 한다.

흥분과 희열이 가시지 않은 상태로 집에 와서 무심코 TV를 보는데 이문세 씨가 진행하는 쇼에서 많은 관객들이 행복해하며 즐기는 모습이 나왔다고 한다. 그 모습을 보며 '그래! 나도 MC가 되어야겠다.'는 생각을 했고 신문방송학과를 가겠다는 꿈을 갖게 되었다고 한다.

[1]목표를 가진 사람은 도구를 가진 사람의 주인이다.

도구만 갖고 있는 사람은 목표를 가진 사람의 종이 된다.

노를 기가 막히게 잘 젓는 사공이라도 자신이 목표를 갖고 있지 않다면 선장이 가자는 대로 가는 종이 된다. 반면 스스로 어디로 가는지 알고 있다면 선장과 대등한 관계가 된다.

우리는 목표가 분명해야 한다. 목표는 인재로 성장할 수 있는 키가 된다.

분명한 목표를 가진 사람은 자기 인생의 주인이 되는 것이고 잔재주만 가지고 있는 사람은 남의 종으로 살아가야 한다.

목표의 있고 없음은 주인과 종의 관계처럼 확연하게 드러난다.

박경림씨는 주어진 기회를 자신의 재능과 접목시키는 기회를 놓치지 않는 적극적인 모습으로 인생의 목표를 정한 삶으로 발전시킨 것이다.

---

1) 김형환의 「CEO 위기보다 강해져라」에서 인용

10 인생은 열쇠가 아니라 열쇠꾸러미이다

인생의 문은 다양하다. 열쇠 또한 여러 개다. 우리 인생에 문이 단 하나뿐이고, 열쇠가 단 하나뿐이라는 생각을 버리자. 인생은 흔한 말로 마라톤이다. 그 긴 여정 속에서 열어야 할 문들은 수없이 우리를 기다리고 있다. 그 문을 열기 위해 선택의 순간도 역시 많다.

그런데 하나의 열쇠가 안 맞는다고 열쇠꾸러미 안에 남아 기다리는 다른 열쇠를 모두 포기해버릴 것인가. 어느 문이 더 중요한지는 아무도 모른다. 우리 인생에 수없이 놓인 문들은 인생의 끝에 도달해봐야 어느 문이 더 중요했는지 알 수 있다. 지나가는 과정에선 그 하나하나의 문을 여는 데 그저 최선을 다하면 된다. 그 자리에서 그 가치나 중요성을 판단하려고 하는 건 어리석은 짓이다.

인생은 관 뚜껑 덮을 때까지 가봐야 알 수 있는 것이라는 말도 있다. 그 마지막 순간까지 우리는 인생의 골든벨이 울리길 기대할 수 있다. 인생은 아무도 알 수 없다. 질량 보존의 법칙처럼 우리 인생의 전체 행복의 양은 똑같다는 말이 있다.

누군가는 그 행복이 인생의 전반부에 가득 쌓여 있을 수도 있고, 또 누군가는 후반부에 기다리고 있을 수 있다. 매순간 최선을 다해 살면 주어진 인생의 기회와 행복을 얻을 수 있지만, 섣부르게 좌절하고 포기하는 사람은 쌓여진 행복더미를 못 보고 그냥 스쳐 지나가버릴 수도 있다. 우리 청춘들이 그런 어리석음을 저지르지 말았으면 좋겠다.

인생이란 지금 당장은 이것이 가장 중요하고 급하고 이것이 아니면 안 될 것 같을 때가 있다. 이걸 이루지 못하면 더 이상 기회가 없을 것만 같은 느낌. 그리고 살아가야 할 희망이 보이지 않는 길고 컴컴한 터널을 지나는 듯한 절망감. 나락으로 추락하는 것 같지만 인생의 길은 여러 갈래이다. 인생의 정답은 하나가 아닌 수많은 답으로 이루어져 있다. 그건 인생을 끝까지 살아본 인생 선배들이 한결같이 얘기하는 삶의 지혜이다.

인생의 실마리가 안 보이면 차선책을 선택하자. 인생에는 수많은 열쇠가 있다. 하나의 열쇠가 맞지 않는다고 남아 있는 열쇠꾸러미를 내던져 버리는 어리석음을 저지르지 말자. 진정한 삶의 지도자는 자신이 누군지, 행복이 어디에 있는지 매일 성찰하는 사람이다. 자신의 삶의 진정한 지도자가 되자. 조바심이라는 괴물에 끌려 다니지 말고…….

문을 열어야겠다는 욕심만 가득 차면 그 문에 맞는 열쇠는 끝내 찾아지지 않는다. 욕심이 눈을 가린다. 판단력이 흐려진다. 자라나는 학생들이 입시지옥이라는 굴레에서 벗어나서 자신의 인생의 방향을 넓고 탁 트인 초원지대 위에서 멀리 내려다 보는 자세로 보는 것이 필요하다. 인생은 눈앞에 보이는 것만이 전부가 아니다.

내 인생의 주인은 누굴까. 내 미래의 주인은 누굴까. 내 꿈의 주인은 누굴까. "나요!" 라고 쉽게 대답할 수 있는가. 이렇게 당연한 대답을 과연 우리는 삶 속에서 실천하고 있을까.

엄마가 의사가 되라고 하면 마땅히 의사가 되는 길을 가야하고, 아버지가 법대에 가라고 하면 다른 건 다 생각하지 않고 법대에 가는 것이 현대를 살아가는 우리 학생들의 자화상이다.

도대체 자신의 인생 속에 '자기 자신'은 없다. 대신 부모가 들어가 있거나, 아니면 세상의 잣대가 들어가 있다. 진짜 내가 아닌, 다른 사람의 시선으로 포장된 나, 다른 사람의 기대에 부응하는 나를 목욕시키자. 인생은 정말 딱 한 번뿐이다. 그걸 명심해야 한다.

우리는 자칫 착각하기 쉬운데 인생이 굉장히 길거나 여러 번 살 수 있다고 생각하는 경향이 있다. 하지만 공부하기에 지쳐 길게만 느껴지는 청소년기가 끝나면 인생은 눈 깜짝할 사이에 지나가버린다. 그런 짧은 인생에서 자기가 하고 싶은 일이 아니라, 남이 하라는 일만 하고 살기엔 인생이 너무 아깝지 않은가.

내 인생의 주인공을 다른 사람으로 세우지 말자. 자기 인생의 주인공은 단 한 사람, 바로 자기 자신이다. 단 한번 뿐인 소중한 인생에서 바로 '나의 이야기'를 해야지, 다른 사람의 이야기로 채워서는 무의미하다. 다시 나를 찾자. 나의 인생을 찾자. 이제 더 이상 우물쭈물하지 말고 나를 내 삶의 주인공으로 당당하게 세우자.

11 자신의 인생의 발아기가 언제인지를 살펴라

얼굴이 다르듯이 타고난 재능이 다르고 생각이 다르고 좋아하는 것이 다르고 잘하는 것이 다르고 싫어하는 것이 다 다른데 우리나라의 부모들은 자녀를 위해서 해줄 수 있는 일이 좋은 대학에 진학시켜서 좋은 직장을 갖게 하는 것이라고 생각하는 것 같다. 그렇게하면 자녀의 인생이 행복할 것이라고 말이다.

우리나라 부모의 가장 큰 문제점은 실패를 방어해주고 도전의 시기를 방임하게 하고 성공을 방해한다.

나이별로 하고 싶은 일, 해 봐야 할 일이 있는데 이런 것들이 모두 대학입시에 사로잡혀 억제된 감정을 대학에서 풀게 만들어 놓았다.

혼자 사는 삶이 아니라 같이 살아가는 삶을 가르쳐 주고 함께 있어 행복하고 서로 도와주며 부족을 서로 채워주는 공감하고 소통하는 관계를 알지 못한 결과는 무엇인가?

공부 잘하고 머리 좋아서 어느 정도 좋은 직장과 위치에 올라간 지식인 중에는 심각한 사회문제를 일으키는 사람들도 있다.

성공지상주의, 출세지향주의, 물질만능주의가 과연 우리 사회에 무엇을 가져다 주었는가?

100년을 살아가야 할 젊은이들에게 가장 소중한 것이 무엇인가? 분명히 제시해야 한다.

조급해 하지 말고 좀 더 멀리 보고 길게 보는 여유를 갖자.

먼저 우리가 세상을 보는 방식(패러다임)을 바꿔야 한다. 우리의 학생을 꽃으로 생각해 보라.

꽃은 종류에 따라 피는 시기가 다르다. 봄꽃에는 개나리, 진달래, 유채꽃, 벚꽃 등이 있고, 여름꽃에는 백합과 연꽃이 있으며, 가을꽃에는 국화와 코스모스 등이 있고, 겨울꽃에는 동백이 있다.

현재 우리의 사교육 문제는 일방적인 사회구조로 인해 모든 학생들을 '매화'처럼 이른 봄에 꽃을 피게 만들려고 하기 때문에 발생한다. 백합, 국화, 동백들이 2월에 꽃을 피우는 매화같이 되길 강요받고 있지는 않는가? 학생들은 자신이 꽃을 피울 시기를 기다리지 못하고 매화처럼 꽃을 피우지 못해 안달하면서 낙담하고 절망한다. 이제부터 우리는 각자 자신이 어떤 꽃인지 자세히 살펴볼 필요가 있다. 적성과 진로에 맞는 전문 분야의 직업을 10대 때에 정할 수 있는 사람은 매화 같은 사람이고, 20대에 정할 수 있는 사람은 진달래 같은 사람이며, 30대에 정할 수 있는 사람은 벚꽃 같은 사람이고, 40대에 정할 수 있는 사람은 연꽃 같은 사람이며, 50대에 정할 수 있는 사람은 국화꽃 같은 사람이고, 60대에 정할 수 있는 사람은 동백꽃 같은 사람이다. 간혹 60이 넘어서 일흔이나 팔순에 자신의 일을 찾는 사람도 있다. 이런 사람은 60년 만에 피는 신비의 꽃인 대나무꽃 같은 사람이라고 할 수 있다.

꽃이 제 시기에 화려하게 피어나려면 준비가 되어야한다. 자신의 순서를 기다리면서 다양한 지식과 경험과 노하우를 쌓고 배우고 익혀야 한다. 또한 자신을 믿고 지켜주는 지지자들이 필요하다. 바로 부모와 어른들의 몫이다.

세상에서 다양한 경험을 하며 배우고 익히는 것은 단순히 젊은 날의 성공을 위함이 아니라 경험의 축적을 통해 자신의 잠재된 능력을 계발하기 위한 창의적인 행동이라 할 수 있다. 따라서 젊은 날 열정과 도전의 인생 기록장을 만들고 정신적으로 충만한 에너지를 갖는 다양한 경험을 하는 것은 건강한 삶을 살기 위하여 노력하는 사람만이 누릴 수 있는 특혜가 아닌가 한다.

이러한 흐름은 나의 삶이 현재 즐겁고 보람 있는 일에 몰입하는 새로운 가치지향주의의 발로라고 할 수 있다. 미래의 모습보다 현재 자신의 일에 초점을 두어 행복한 삶이 미래의 인생을 보다 풍요롭게 할 수 있다는 것이며 이렇게 자신이 하고자 하는 일에 집중하다보면 자신의 가치, 물질, 그리고 행복은 저절로 온다는 새로운 가치의 발상이라고 할 수 있다.

12 남들이 내 인생을 대신 살아주지는 않는다

우리 인생의 풍경은 과연 어떨까. 나귀와 함께 냇물로 풍덩 빠져버린 아버지와 아들의 이야기는 단지 우화 속 한 장면이 아니다. 이야기일 뿐이라고 마냥 웃고 있을 수만은 없다.

요즘 부모들은 이 우화 속 아버지처럼 행동하는 경우가 많다. 자신의 아이들에게 남이 뭐라고 하면 바로 나귀에 올라타라고 했다가, 또 내려오라고 했다가 우물쭈물 갈피를 못 잡는다.

그 '남'이라는 것은 언론에서 떠들어대는 교육정보일 수도 있고, 나라에서 이랬다저랬다 하는 교육정책일 수도 있다. 뭐가 하나 좋다고 하면 자기 아이들이 그대로 못 따라 할까 봐 안달이다.

인생은 누가 대신 살아주는 건 아니다. 부모도 자식 인생을 대신 살아주지는 못한다. 하물며 남이 내 인생을 좌지우지할 수는 없다. 그러나 우화에서처럼 뭐라고 촌평을 하는 이웃들보다 그 말 한 마디, 한 마디에 움직이며 우물쭈물하는 자신을 탓해야 할 것이다.

남들은 쉽게 한 마디씩 할 수 있다. 하지만 곧 그 말을 잊어버린다. 하지만 그 말들을 따라한 자기 인생은 누가 책임을 질 것인가. 우리는 살아가면서 다른 사람의 시선이나 평에 귀를 쫑긋 세운다. 남이 해주는 평가에도 기분이 왔다 갔다 한다. 자기의 생각 따위는 중요하지 않다.

예를 들어 자기 자식인데도 다른 사람이 "얘는 고집이 좀 센 것 같아요"라고 말을 하면 정말 자기 아이가 고집이 세어 보인다. 그 전날까지 세상에서 제일 순둥이 같던 자식이 말이다. 또는 주변에서 "넌 왜 그렇게 느림보 같냐. 잘하는 게 하나도 없네."라고 말하면 자기가 정말 그렇다고 생각해버린다.

남의 말 한 마디에 기뻐하거나 슬퍼하지 말자. 남은 그냥 그때그때 자기 기분에 따라 말하는 법이다. 자기 인생을 그런 어설픈 한 마디에 걸어버리는 무책임한 짓은 하지 말자. 나라의 교육정책은 그저 교육정책일 뿐, 남들의 생각은 그저 남들의 생각일 뿐, 실제로 인생을 살아가야 할 주인은 자기 자신이다. 자기 인생에 대한 청사진은 자기가 그려야 한다. "우물쭈물하다가 내 이럴 줄 알았다"는 묘비명을 쓰고 싶지 않다면 단 한 번뿐인 인생을 나 스스로가 설계하고 실천하는 주인이 되어 살아 보자.

13 머무르면 슬럼프의 친구가 된다

티핑포인트라는 말이 있다. 균형을 깨뜨린다는 뜻으로 세상에서 어떤 일에 성공하는 사례를 보면 처음에는 조금씩 증가하다가 티핑포인트를 지나면서 폭발적으로 증가하게 된다.

세상의 대부분의 일에는 티핑포인트가 있다. 처음에는 아무리 노력해도 성과가 없다가 그 노력의 에너지가 쌓여서 약 20%정도 진행되면 티핑포인트에 도달하고 그 이후부터는 급속도로 100%에 도달하게 되는 것이다.

누구나 한 분야에서 자신의 능력을 발휘하면서 같은 일을 일정 기간 반복하는 과정에서 변화의 계기를 갖기 못하면 타성에 젖게 되고 안주하게 된다. 오랜 기간에 걸친 반복적인 생활은 슬럼프라는 원치않는 결과를 가져다 준다. 자만심과 타성은 노력을 방해하고 새로운 정보를 무시하거나 등한시하게 한다. 슬럼프는 이럴 때 나에게 친구처럼 다가온다.

슬럼프가 한두 번 반복되면 그것이 변수가 되어 생각이 분산되고 원인을 규명하기 전에 남의 탓을 하고 자신의 문제보다 외부의 요인에서 해결책을 찾으려고 하는 경향이 강하게 되어 쉽게 극복을 하지 못하게 된다. 그래서 슬럼프가 오면 쉽게 실패가 뒤따라오는 것이다.

일이 꼬이면 초심으로 돌아가서 그 마음으로 무엇이 문제인지를 돌아보아야 한다. 그래야 슬럼프에서 벗어날 수 있는 것이다. 마이클 조던처럼 한 분야에서 정상의 자리에 오르고 사람들에게서 최고라고 칭송받는 이도 자신의 성공요인을 실패의 경험이라고 꼽았다.

실패가 두려워 도전하지 않는다면 성공할 수 있는 기회조차도 오지 않는다. 실패라는 씨앗을 바탕으로 성공이라는 열매를 맛볼 수 있다. 실패를 자신의 티핑포인트로 삼자.

14 무엇이 나의 가슴을 뛰게 하는가?

어제의 직업이 오늘날에 없어지고, 오늘의 직업이 미래에는 없어질 것이라는 뉴스를 접해보면서 어제와 같이 오늘을 살아가는 학생들에게 우리가 어떻게 대처해야 하는지 생각하게 한다.

학생들은 우리보다 훨씬 다양한 환경 속에 내몰려 다양한 경험을 하면서 살아갈 것이다. 내일은 아직 오지 않아 잘 모르지만 결코 오지 않는 미래는 아니다.

극심한 취업난에서 나를 해방시켜줄 안정된 직장, 다른 사람들에게 인정받을 수 있는 좋은 직업 등 전반적인 사회적 풍토를 고려하여 많은 사람들은 공무원 시험을 준비한다. 직업 선택의 가장 중요한 요인을 수입과 안정성으로 꼽기도 한다. 우리는 아이들에게 말로는 꿈을 갖고, 하고 싶은 일을 하라고 하면서도 '남보다 편안하게 살아야 한다. 남보다 뒤져서는 안 된다.'라는 경쟁 심리를 부추기는 것은 아닌지 생각하게 한다.

"항상 갈구하라, 항상 바보처럼 우직하라.(Stay Hungry, Stay Foolish)"라고 말했던 애플의 설립자인 스티브 잡스는 우리 아이들에게 가슴이 뛰는 일을 할 수 있는 창의적인 미래를 열어주어야 한다고 말했다.

이를 위해 우리는 현재에 직면한 문제들을 바로 알고, 그에 대한 대책을 논의할 수 있어야 한다.

첫째, 우리 어른들이 당면한 문제인 대학입시에 집착한 결과 가장 중요한 시절인 청소년 시절에 자신의 인생을 스스로 선택할 수 있는 기회를 박탈하고 있다. 다양한 경험과 자신이 관심 있어 하는 일, 새로운 자극과 동기유발을 받을 수 있는 여건이 배제되면서 학생들은 시험으로 평가되는 일에만 관심 있어 하고, 결국 공무원 같은 안정적 미래를 꿈꾸게 만든다. 우리는 여기서 젊은 세대에게 필요한, 즉 자신의 가치를 발휘할 수 있는 터전을 만들어 내는 미래의 구체적인 꿈과 비전을 갖도록 도와주어야 한다.

둘째, 인생의 정답은 하나가 아닌 수많은 답으로 이루어져 있다. 인생의 실마리가 안 보이면 차선책을 선택하자. 진정한 삶의 지도자는 자신이 누군지, 행복이 어디에 있는지 매일 성찰하는 사람이다. 달라이 라마는 행복은 모든 욕구의 충족에 있지 않고 마음의 평화에 있다고 했다. 자라나는 학생들이 입시지옥이라는 굴레에서 벗어나서 자신의 인생의 방향을 위에서 보다 넓고 탁 트인 초원지대에서 멀리 보는 자세로 보는 것이 필요하다. 인생은 눈앞에 보이는 것만이 전부가 아니다.

셋째, 젊은 세대가 필요한 것은 자신의 가치를 발휘할 수 있는 터를 만들어 내는 미래의 구체적인 꿈을 가져야 한다. 이것은 공부를 한다고 얻을 수 있는 것도 아니고 정보를 많이 얻는다고 얻을 수 있는 것이 아니다. 좋은 대학, 좋은 학과가 인생을 채워주는 것이 아니다.

우리나라 학생들은 대부분 꿈은 있지만 수능점수가 꿈을 좌우하고 결정한다고 생각한다. 인생이란 안 되는 것을 되게 하려고 노력하는 서바이벌 게임이기 때문이다. 이 생존 게임에 우리 학생들이 한 번 자신의 꿈을 맡기고, 집중할 수 있도록 도와야 한다.

넷째, 내 인생의 주인, 내 미래의 주인, 내 꿈의 주인은 누굴까. 진짜 내가 아닌, 다른 사람의 시선으로 포장된 나, 다른 사람의 기대에 부응하는 나를 목욕시키자. 인생은 정말 딱 한 번뿐이다. 내 인생의 주인공을 다른 사람으로 세우지 말자. 자기 인생의 주인공은 단 한 사람, 바로 자기 자신이다. 단 한번뿐인 소중한 인생에서 바로 '나의 이야기'를 해야지, 다른 사람의 이야기로 채워서는 무의미하다. 다시 나를 찾자. 나의 인생을 찾자. 이제 더 이상 우물쭈물하지 말고 나를 내 삶의 주인공으로 당당하게 세우자. 바로 지금 잡고 싶은 그 밧줄을 잡아라. 현재를 잡아라(Seize the day).

다섯째, 인생이란 한 줄에 계속 매달려 있을 수 없다. 앞으로 전진하려면 기존에 튼튼한 줄을 놓고 새로운 줄로 이동하여야 새로운 공간으로 이동할 수 있다. 지금 현재 내가 잡고 있는 것이 낡고 썩어가고 있다면 새로운 줄을 잡아야 한다. 그래야 변화가 일어나고 새로운 에너지가 창출될 것이다. 머리 좋은 자는 열심히 하는 자를 이기지 못하고, 열심히 하는 자는 좋아서 하는 자를 이기지 못하고, 좋아서 하는 자는 미쳐서 하는 자를 이기지 못한다는 말이 있다. 미칠 정도로 자신의 꿈을 사랑하면 열정의 에너지가 생겨 새로운 밧줄을 잡는 걸 두려워하지 않을 것이다. 현재 자기에게 미치도록 간절한 소망이 있다면 그걸 잡아라. 인생은 모든 것을 선택하고 집중하기에는 너무 짧다. 그러므로 자신의 적성에 맞는, 자기가 하고 싶은 일을 선택하여 인생을 그곳에 집중하는 것이 삶을 현명하게 살아가는 인생의 법칙이다.

여섯째, 직업을 가지라고 자녀에게 강요하는 것보다는 도전하고 개척하려는 자세를 심어줘야 한다. 그러면 어떤 직업을 가지든 그 자녀는 어려운 순간을 잘 헤쳐 갈 것이다. 자신이 하고 싶어 하는 일을 진로로 격려해준다면, 열정으로 가득 찬 청춘은 시대에 따른 어떤 변화가 와도 그 위기를 잘 극복할 것이다. 왜냐하면 자신이 진정으로 사랑하는 길이기에 누구보다 그 길을 잘 알고 대처할 수 있기 때문이다.

꿈이란 인생의 참된 기쁨이 주는 효능을 터득하는 것이다. 꿈은 내가 살아있는 이유가 되고 무척이나 행복하며 세상을 다 얻은 듯한 느낌을 준다. 그 꿈 앞에서 가슴이 뛰는 에너지를 느끼는 것이 바로 꿈의 힘이다. 우리는 무엇에 의해서 움직여 가고 있는 것일까? 나는 지금 무엇에 가장 크게 반응하고 있는가? 꿈은 말하는 것이 아니라 실천하는 것이다. 꿈은 머리로만 꾸는 것이 아니라 매일의 실천적인 삶이 쌓여서 이뤄지는 것이다.

15 성품과 역량은 성공적인 삶으로 연결된다

일본은 2015년까지 22명의 노벨상 수상자를 배출했다. 그런데 이들의 수상소감을 들어보면 자신의 노벨상의 토대는 스승과 선배들의 탄탄한 협력과 선행연구의 덕분이라고 한다.

MBC뉴스에서 노벨 물리학상을 받은 가지타 교수의 인터뷰를 보도한 적이 있다. "뉴트리온의 질량을 발견한 것에 대해서는 정말로 도쓰카 선생님의 공적이 크다고 생각합니다." 2002년 노벨 물리학상을 받았던 스승 고시바 교수가 천억 원이 넘는 중성미자 검출기를 완성했고 선배격인 도쓰카 교수가 이 장비로 선행 연구를 한 덕에 자신의 연구가 성공했다는 것이다.

우리나라도 공부라면 세계 그 어디에서도 뒤지지 않는 나라이지만 정작 노벨상 수상에서는 뭐가 아쉬움이 남는다. 나는 우리나라가 왜 노벨상 수상에 약한지 알아보기 위해 인터넷 검색과 노벨상 관련 기사를 찾아보았다.

그래서 노벨상을 받기 위해서는 네가지가 필요하다는 사실을 알게 되었다.

첫째는 독창성이 있어야 한다. 즉, 처음으로 그 방법이나 원리를 발견하거나 실험을 통하여 과학적 토대를 정립한 사람에게 준다는 것이다. 둘째는 20 ~ 30년을 연구하는 기쁨과 도전하는 즐거움으로 채울 때 오는 소중한 가치라는 것이다. 셋째는 노벨상은 아무리 위대한 업적을 남겼더라도 노벨상을 받는 당시에 살아있어야 한다는 것이다. 즉, 죽은 사람에게는 수상하지 않는다는 것이다. 넷째는 노벨상은 자기 자신을 추천할 수 없다고 한다. 매년 노벨위원회에서 연초에 노벨상 한 분야의 권위있는 석사나 기존 노벨수상자, 관련 단체 등으로 노벨상 추천의뢰가 오고 그 분야의 전문가와 역량 있는 사람들의 추천서가 노벨 위원회에 접수된 사람들에 한하여 수상 후보자가 결정되는데 매년 100명에서 300여 명의 후보군이 추천된다고 한다.

노벨상 수상자가 되기 위한 네가지 조건을 보면서 아무리 자신이 잘나고 똑똑하다고 말해도 세계의 석학들이나 그 관련된 사람들에게 인정받지 못한다면 노벨상 수상은 어렵다는 것을 알게 되었다.

노벨상 수상의 원동력을 자신의 공적과 자랑에 두지 않고 스승과 선배에게 돌리는 가지타 교수의 모습 속에서 인간관계의 중요한 덕목이 성품이라는 것을 발견하게 된다. 만약 가지타 교수가 자신밖에 모르고 자신의 머리만 믿고 연구했다면 스승과 선배의 노하우와 도움을 받기는 어려울 수 있다.

사람을 평가하는 중요한 요소 중 하나는 성품이고, 다른 하나는 역량이라고 스티븐 코비는 강조했다. 성품에는 성실성, 동기, 의도가 포함되고 역량에는 능력과 기술, 성과, 업적이 포함된다고 한다.

성품이 바르고 예의와 삶의 태도가 바른 학생에게 더 정이 가고 도움을 주고 싶은 것이 인지상정이다. 아무리 실력이 있고 머리가 비상해도 성품이 받쳐주지 못하면 자신만의 삶에 집착하고 남에게 도움은커녕 남을 힘들게 하는 사람이 될 수 있다.

라면가게 하나도 3대를 이어가며 전통을 고수하는 일본. 전통의 중요성과 가치를 알고 선조들의 긴 인생의 노하우와 경험을 현대와 접목하여 시대를 농축한 결과물을 만들어내어 그 누구도 따라올 수 없는 경쟁력을 가지게 되었다. 이렇듯 창조의 능력을 극대화하여 세계 1,2등을 지켜나가는 기술력은 어디서 나오는 것일까? 그것은 장인정신에서 발로된다고 생각한다.

사물의 배치나 시스템을 인간중심으로 접목하는 능력, 조상이 물려준 전통의 맛에 현대인의 기호를 고려하여 끊임없이 새로운 음식을 개발하는 창의성, 화장실에서 사용하는 물의 양을 계량기로 확인하고 대소변기의 물을 조절할 수 있도록 장치를 부착한 검소함과 철두철미한 절약정신은 오늘의 일본을 만든 근본적인 힘을 느끼게 하는 좋은 사례라고 할 수 있다.

이것이 역량이다. 자신이 하는 일에 긍지와 열정과 자부심을 가지고 한 우물을 파는 도전정신이 있었기 때문에 가능한 것이다. 일본 지식인들에게는 세상에서 유행하는 학문, 돈을 많이 버는 학문보다 자신이 좋아하는 일에 집중하여 보람과 행복을 느끼고자 하는 삶의 태도가 진하게 녹아있는 것 같다.

그렇다면 우리의 자화상은 어떤가? 한마디로 우리들에게는 '장인정신'이 없다. 조선시대부터 내려오는 '선비정신'이 문제이다. 자신의 학문과 파벌에 빠져서 파당정치와 파벌로 출세지향주의, 경제논리로 판단하고 단기적인 투자에 엄청난 가시적인 효과에만 매몰되어 있는 현실 속에서는 진정한 학문과 세상을 변화시키는 위대한 결과물을 얻어내기는 어렵다. 지금 우리의 교육은 '지적 호기심'이란 없고, 오로지 좋은 대학가서 '출세'하고자 하는 동기만 있을 뿐이다.

서울대 김대식 교수가 쓴 「공부논쟁」에서는 "장원급제 DNA와 장인 DNA를 구분할 필요가 있다"고 강조한다. 장원급제 DNA를 가진 사람들, 전교 1등만 한 사람들에게 과학의 미래를 걸던 시대는 이제 끝내야 한다는 것이다.

즉, 자신의 머리와 재능만 믿고 모든 동기와 시작이 출세를 위한 수단으로만 활용되는 사회적 풍토에서 노벨상은 수치스러운 욕심일 뿐이다. 김대식 교수는 "전교 1등과 날라리, 깡패가 함께 어울리는 환경에서 창의성이 나온다."고 말했다. '장원급제 DNA'가 아닌 '장인 DNA'정신에 정답이 있다고 했다. 우리는 실패를 두려워한다. 그래서 학생 시절 쉼 없이 도전하는 것이 성공하는 인생의 열쇠가 됨을 망각하고 있는 것 같다. 쇠가 찬물과 더운물에 번갈아 들어가며 강해지듯이, 우리의 인생 역시 도전과 실패를 통해 진정한 승리를 향해 가는 것이 아닐까 하는 생각이 든다.

16 넓이, 높이, 길이 그리고 깊이가 있는 삶을 살아야 한다

요즘 가정마다 컴퓨터는 생활필수품이 되었다. 그래서 컴퓨터를 다룰 줄 모르는 사람은 속된 말로 원시인이라고 할 수 있다. 나는 학교 현장에서 가끔 당황할 때가 있다. 발명활동교육 중 학생들이 아이디어를 구상하고 이를 도면이나 설계도로 나타내기 위해서는 스케치 업이나 CAD같은 컴퓨터 프로그램을 통하여 작성하는 것이 일반적이다. 그래서 학생들에게 노트북이나 관련 도구를 학교에 가져오거나 집에서 작성하여 오라고 하면 꽤 많은 학생들이 컴퓨터가 없거나 주말에만 사용할 수 있어서 수업에 활용하는 것은 어렵다고 말한다. 그 이유를 물어보면 아이들이 컴퓨터로 주로 게임이나 쓸데없는 동영상을 보기 때문에 공부에 방해가 되어 부모가 통제를 한다는 것이다.

컴퓨터로 게임을 하는 학생도 문제지만, 통제하는 부모들도 문제이다. 사실 학생들은 하고 싶은 것이 있으면 무슨 수를 써서라도 얼마든지 할 수 있는데, 게임을 못하게 하기 위해 컴퓨터에 있는 활용가치가 높은 소프트웨어 프로그램들을 다룰 기회마저 갖지 못하게 하는 것은 문제다. 컴퓨터를 잘 사용하고 응용하여 새로운 사고를 한다면 엄청난 가능성으로 연결될 수도 있는데 부모의 통제로 인해 아이들은 이러한 기회마저 놓치게 되는 것이다.

최근 들어 세계의 큰 부자들은 컴퓨터를 활용한 IT분야에서 많이 나오고 있다.

우버(UBER)의 CEO 트래비스 칼라닉은 차를 가진 사람과 차를 필요로 하는 사람을 연결해 주는 서비스로 4년 만에 54조 원의 기업 가치를 창출했다. 텀블러의 창업자인 데이비드 카프도 학생시절 컴퓨터 프로그램에 능통한 결과 성공한 CEO가 될 수 있었다. 두 사람 모두 컴퓨터에 능통한 사람이며 컴퓨터를 잘 활용한 덕분에 일단은 성공하는 모습으로 살아가고 있는 것이다.

데이비드 카프는 수재였다고 한다. 공부를 잘해서 우리나라의 과학고에 해당하는 학교에 입학한 학생이었다. 그러나 고등학교에 들어간 데이비드 카프는 컴퓨터 프로그램 개발에만 몰두하기 시작했고 당연히 학과 공부는 뒷전이었다.

우리나라 교육현실에서는 부모가 컴퓨터를 뺏고 부족한 과목을 보충시키기 위해서 학원에 보내며 자식에게는 좋은 대학입학 못하면 어떻게 하려고, 대학가서 해도 충분하다고 독려와 협박 아닌 협박을 할 것이다. 그러나 데이비드 카프의 어머니는 카프가 학과 공부할 때와 달리 프로그램을 공부할 때 매우 열정적으로 변하는 모습을 보며, 카프가 좋아하고 잘하는 것에 집중할 수 있도록 해 주었다. 이러한 어머니의 독려로 카프는 텀블러를 개발하여 야후에 11억 달러에 매각하는 엄청난 결과를 낳게 되었던 것이다. 한국 부모들의 대부분이 자식의 장래에 대하여 매우 조급하고 시야가 좁다. 지금의 청소년들은 100세 시대를 살아갈 사람들임을 알아야 한다. 당장 현실적인 숙제가 고민이고 부모로써 책임감을 느끼지만 학생들은 자신을 알아가는 시간이 필요하다. 긴 인생을 살기 위한 사춘기 시절의 진정한 의미 있는 행동은 넓이, 높이, 길이, 깊이가 있는 사람으로 준비하고 만들어 가야 한다는 것이다.

넓이는 사전적으로 일정한 평면에 걸쳐있는 공간이나 범위의 크기라고 정의한다. 세상은 무한한 기회의 공간이다. 따라서 사람은 다양한 영역을 만나고 경험하고 느끼고 도전하는 무대를 만들어 가야 한다. 그런 관계 속에서 기회가 오고 새로운 계기를 만들어갈 수 있다.

높이는 사전적으로 사물이나 도형의 높고 낮은 정도를 말한다. 이는 한 인간으로써 삶의 포부와 역량을 발휘하고 보람찬 내일을 만들어가는 꿈, 소망이 중요하다는 말이다. 즉, 내일이 있는 삶이다. 6.25전쟁 당시 한 종군기자가 병사에게 질문을 했다. “신이 당신 앞에 있다면 당신은 어떤 소원을 말하겠는가?” 그러자 병사는 “내일을 주십시오 라고 할 것입니다”라고 대답했다. 내일이 있다면 오늘 이 시간의 고통은 참고 견딜 수 있다는 것이다. 인생은 희망을 먹고 사는 것이다. 희망이 없다면 그것은 죽은 것과 같다.

길이는 사전적으로 한 끝에서 다른 한 끝까지의 거리라고 정의한다. 인간은 언젠가는 끝이 있기 마련이다. 아무리 재벌이고 부자이고 권력을 가진 자라고 할지라도 때가 되면 모든 것을 내려놓고 떠나야 하는 것이 인생이다. 따라서 인생은 공평하다고 말할 수 있다. 누구에게나 주어진 시간이 있다. 사우나탕에 가면 높은 온도 때문에 오래 있을 수 없다. 이때 모래시계를 뒤집어 놓고 모래가 내려가는 것을 보면 이상하게도 참고 인내하며 견딜 수 있다.

자신의 삶의 길을 매일같이 되돌아보며 반성과 변화를 모색하는 사람에게는 하루하루의 삶이 의미있게 연결된다. 유한한 존재임을 알고 그러하기에 더욱 더 삶에 애착을 갖고 감사함으로 살아가는 지혜가 필요한 것이다.

깊이는 사전적으로 위에서 밑바닥까지, 또는 겉에서 속까지의 거리라고 정의한다. 사람은 보는대로 생각하는 대로 행동하는 대로 되는 것이다. 내가 좋아서, 잘해서 마치 자석에 끌리는 것처럼 심오한 자신의 학구열과 열정이 꿈틀거리는 일에 집중할 때 인생의 참 행복과 희열을 맛보게 되는 것이다. 내가 좋아서 집중할 수 있는 그것을 찾아내는 것이 진정한 인생의 과제이다. 단채 신채호는 역사를 모르는 민족에게는 미래가 없다고 했다. 나는 이런 말을 하고 싶다. 자신을 모르는 사람에게는 미래가 없다고 말이다.

미래는 그냥 시간이 지난다고 다가오는 것이 아니다. 다시 말해 시간적인 개념이 아니라 존재의 개념이다. 존재는 하고 있으나 존재감 없는 현실적인 아픔을 이야기하는 것이다.

17 젊은 세대에게 필요한 것은 무엇인가? 나 자신의 깊은 내면의 소리에 귀 기울이자

학생들의 가장 큰 스트레스는 학기별로 2번씩 반복되는 중간, 기말고사이다. 시험성적에 따라 대학 진학이 결정되는 현실 속에서 시험은 절대적이며 인생을 좌우할 것 같은 착각을 불러일으키고 있다.

요즘 반수하는 학생들이 많다. 심지어 명문대에 재학 중인 학생들까지 수능 다시 보기에 불을 지피고 있다.

왜 다시 수능을 준비 하느냐는 질문에 학생들은 "희망이 없어요." "선배들의 취업률이 형편없어요." "강의를 들어보니 저랑 맞지 않아요." "과 이름이 좋아서 들어갔는데 막상 해보니 일반 컴퓨터 공학부와 똑같아요.", "미래가 보장 될 수 있는 다른 학과를 가기 위해서는 수능을 다시 보아야 할 것 같아요."

참 답답하다. 고등학생들이 그렇게 가고 싶어 하는 대학교이지만 당사자인 대학생들의 상실감은 더 크다.

대학은 미래의 꿈을 구체적으로 적용해보고 실질적인 실력을 연마하여 사회에 나가기 전 실전무대를 가상하여 다양한 방법을 적용하고 실천하여 나의 것을 만드는 신무기 생산 공장이다. 그러나 현실은 거꾸로 가고 있다.

세상이 너무 빠르게 변하고 있다. 지금 우리가 중, 고등학교에서, 대학에서 배우는 지식이 과연 미래의 20~30년을 살아가는데 얼마나 유용한 지식일까? 나는 아니라고 단언하고 싶다.

박영숙 씨가 쓴 「메이커의 시대」라는 책에 보면 현재 청년 일자리가 많지 않아 취업난을 겪고 있는데 앞으로는 지금 있는 직업에서 없어질 직업이 많아진다고 한다. 그 대신 새로 생기는 일자리도 늘어난다. 2020년에는 현존 일자리 중에 13%가 소멸하고 2030년에는 20%가 소멸한다고 한다. 인간이 하는 일자리는 줄어들고 인공지능 로봇이 대신 해주기 때문이다. 그렇다고 비관만 할 필요는 없다. 그렇다면 인류는 뭘 하고 살까 생각해 볼 일이다. 당연히 1인 창업, 프리랜서, 직업 훈련 분야, 레저 레크리에이션, 헬스 케어, DIY처럼 스스로 물건을 만들고 문제를 해결해야 한다.

뭔가가 사라지면 다른 뭔가가 나온다는 것이다. 그래서 걱정할 필요가 없다. 시스템이 자동화되고 기계화되어 일자리는 줄어들지만 사람은 창의적인 일을 하게 된다는 것이다. 요즘 우리 경제가 '창조'를 떠드는 이유가 거기에 있다.

3D 프린터가 나와서 웬만한 것은 만들 수 있다고 한다. 4D 프린터 얘기도 나온다. 엄청난 혁신이 일어날 것이라고 한다. 역설적으로 그 덕분에 자급자족, 가내 공업 시대로 돌아간다는 것이다. 그 시기를 2030년이라고 내다봤다.

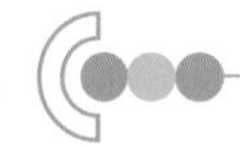

옷도 셀프 크리닝이 되는 나노 천 덕분에 6개월에 한번 갈아입거나 3D 프린터로 만들어 입는 시대가 온다고 한다. 인간의 질병을 미리 진단 예방하면서 병도 안 걸리고, 의료비용 또한 거의 무료가 된다고 한다. 먹는 것도 앞으로는 알약으로 대체가 가능하고 모든 면에서 혁신이 일어난다는 예상이다. 의식주가 해결되고 교육, 의료, 교통이 무료로 제공되면 굳이 일자리를 구할 필요가 없어지고 하고 싶은 일, 개인의 열정에 맞는 일을 하게 된다는 것이다. 공상 소설이나 공상 영화에나 나오던 일들이 점차 현실화되고 있고 그 속도도 빨라지고 있다.

이런 미래의 변화에 젊은이들은 어떻게 준비해야 하는가? 젊은 세대에게 필요한 것은 무엇일까? 자신의 가치를 발휘할 수 있는 터를 만들어 내는 미래의 구체적인 꿈을 가져야 한다. 이것은 공부를 한다고 얻을 수 있는 것도 아니고 정보를 많이 얻는다고 얻을 수 있는 것도 아니다.

이제는 가슴으로, 몸으로 경험하여 인생을 변화시키고 스스로 멋진 인생을 만들어 가야 한다.

이러한 경험은 자존감으로 이어지는 중요한 연결고리이다. 현재의 어려움을 극복하고 부모의 도움이 없이도 자기의 가문을 이루고 큰 소유를 모으고 정말로 복된 삶을 살 수가 있는 것이다.

진로를 정하거나 취업을 할 때 중요한 것은 전공을 관점으로 보는 것이 아니라 자신을 중심으로 보는 것이다. 미래를 준비하기 위하여 무슨 전공을 해야 될까?는 상관없고 전공대로 살 필요로 없으며 얽매일 필요도 없다. 지금 하고 있는 일이 자신의 꿈과 맞지 않으면 새로운 일에 과감하게 도전하자. 꿈과 비전을 가지면 된다. 내가 비전을 가졌다는 것을 어떻게 알까? 가슴을 뛰게 하는 것이 있으면 된다. 가슴 뛰는 꿈은 내 운명을 바꾸고 가정의 운명을 바꾸고 국가의 운명을 바꾸고 인류의 운명까지 얼마든지 바꿀 수 있다.

그럼 그런 꿈이 이루어지는 걸 경험하려면 어떻게 해야 될까? 최선을 다해서 집중하고 끈기 있게 도전하면 된다. 남의 꿈은 남의 껌과 같다. 내 껌이 있어야 되는 것처럼 내 꿈이 있어야 된다. 자기의 꿈이 있어야 된다. 에너지가 넘치는 사람이 되자.

지금이 있기 때문에 나중이 가능한 것이다. 지금 은혜 받을 기회를 멸시하면 안 된다. 정말로 복 있는 사람은 어떤 사람이냐. '해보니까 됩니다!'라고 말할 수 있는 사람이다.

좋은 대학 간판이 없어도, 스펙이 화려하지 않아도 자신의 처지를 박차고 일어나서 현실에 안주하지 않고, 어려운 환경 속에서도 포기하지 않으면 꿈을 이룰 수 있다는 것을 힘들어 하는 사람들에게 말하고 싶다. 포기하지 말라. 그러면 꿈을 이룬다. 자신의 재능을 알아주지 않아 고민하고 있을 젊은이여. 자신에게 집중하자.

세상이 내 뜻대로 되지 않는가? 혹시 안 되는 것을 되게 하려고 노력하기 때문 아닌가?

사람은 평생 에너지가 넘치는 것이 아니다. 따라서 한정된 에너지를 가지고 선택과 집중할 줄 아는 것이 중요하며, 그것이 지혜로운 삶이다.

18 자신이 할 수 있는 일과 할 수 없는 일을 구분하라

자식의 인생에 관심을 보이고 관여하는 것은 부모로서 인지상정이지만 진정한 부모의 역할은 인생에 관여하는 것이 아니라 그의 인생의 협력자로서 같이 고민해 주고 방향을 제시하며 격려와 신뢰를 구축하여 나가는 것이다. 스승의 참된 모습은 "너는 내가 보니까 참 이런 것에 관심이 많더라. 이런 것을 잘하더라.", "너 이런 것 한 번 해보지 않을래?" "너는 이쪽 분야를 하면 잘 할 것 같아." 등등 격려를 해주거나 가이드를 해주는 것이다.

이렇게 긍정적인 시선으로 우리의 자녀나 학생을 바라봐 주자. 나중에 자녀들이 "우리 부모님은 나에 대해서 너무 몰라요." 또는 "제자에게 선생님은 너무 상투적인 말씀만 하셨어요."라는 우울한 말이 나오지 않도록 말이다.

인생을 살면서 이것만은 놓치면 안 된다는 절박함과 간절함이 있다면 그 인생은 달라질 것이다. 무엇을 보고 무엇을 생각하며 무엇이 지금 가장 소중하고 가치가 있는지를 아는 것. 그것이 인생의 비법이다.

"이것만은 절대로 놓치면 안 돼!" 라는 절박함이 올 때 그걸 꼭 잡도록 하자. 그 길을 선택해서 겪는 어려움은 다른 걸 선택해서 오는 좌절감보다는 더 감당하기 쉬울 것이다.

인생의 실마리가 안 보이면 차선책을 선택하라. 인생이란 지금 당장은 이것이 가장 중요하고 급하고 이것이 아니면 안 될 것 같고 이것을 이루지 못하면 더 이상 기회가 없고 살아가야 할 희망이 보이지 않아 결국 좌절하고 절망의 나락으로 추락하는 것 같지만 인생의 길은 여러 갈래이고 인생의 정답은 하나가 아닌 수많은 답으로 이루어진 것을 아는 지혜가 필요하다.

자라나는 학생들이 입시지옥이라는 굴레에서 벗어나는 것. 대학생들이 자신의 인생의 취업에 목숨 걸고 살아가는 것, 직장이라는 생존경쟁의 사회에서 살아남는 것. 이러한 자신의 인생의 방향을 넓고 탁 트인 초원지대 위에서 멀리 내려다 보는 것이 필요하다.

나와 다른 인생을 살며 행복해 하는 사람들의 조언과 성공방법을 배우고 자신의 삶에 적용하고 긍정적인 태도로 접근해 간다면 반드시 길이 보이고 자신의 존재를 부각할 수 있는 방법이 도출될 것이라 생각한다.

인간은 자신이 할 수 있는 일과 할 수 없는 일을 본능적으로 인식한다. 공부를 잘하는 학생과 못하는 학생의 차이는 무엇일까? 사회에서 인정받고 능력 있는 사람과 그렇지 않은 사람의 차이는 무엇일까? 그것은 마치 파도타기와 같다. 서퍼들이 파도를 타기 위해서 사용하는 서프보드에 엎드려서 한 팔로 물을 헤쳐 나간다. 그러다가 서핑하기에 가장 좋다고 서퍼가 판단될 때 두 팔로 열심히 젓는다. 큰 파도가 해안선에 부딪치고 다시 바다 쪽으로 나오는 너울과 해안으로 크고 빠르게 들어오는 너울과 부딪치는 최상의 상태를 직시하였을 때 커다랗고 긴 터널과 파도의 흐름에 자신의 몸을 맞춘다. 이때 서퍼는 마치 터널을 빠져나오는 스릴과 통쾌함을 느낀다. 바로 이 순간 서퍼는 가장 행복하다. 막연히 공부를 잘하는 것이 아니라 리듬체조라는 공부를 잘하는 손연재, 체조라는 공부를 잘하는 양학선이 주목을 받는 세상이다.

공부를 잘한다는 것을 나는 이렇게 생각한다. '자신이 잘할 수 있는 것을 찾아내고 거기에 집중하여 남과 다른 능력을 보이는 것'이라고 정의하고 싶다. 능력이 뛰어난 사람이란 무엇인지 아는가? 그것은 이미 가진 것을 최고로 만든 사람이다. 능력이 부족한 사람이란 무엇인지 아는가? 그것은 가진 가지지 못한 것을 가지려고 끊임없이 고생하는 사람이다.

중요한 것은 내가 지금 이 시점에 어떻게 하는 것이 최선이고 가장 현명한 생각이며 이것이 나에게 어떠한 의미와 미래의 삶에 무슨 영향을 줄 수 있는가를 성찰해야 한다는 것이다.

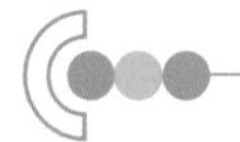

19 문제의 해답은 자기 안에 있다

이 세상의 삶의 과정에서 생기는 문제의 해답은 대부분 자기 자신에게서 찾아지는 일이 많다. 그런데 이 중요한 사실을 깨닫지 못하고 항상 문제의 원인을 밖에서 찾는 사람이 많다. 예를 들어 어떤 친구를 늘 험담하는 사람이 있다고 치자. 그 사람은 그 친구의 잘난 점에 질투가 나고, 자기 자신의 마음속에 부러움이 있기 때문인데, 언제나 그 친구가 잘못되어서 자기가 비평한다고 생각한다.

그러나 사실 자신의 마음속을 잘 들여다보면 원인은 그 친구에게 있는 것이 아니라, 자기 자신 안에 있다는 것을 깨달을 수 있다. 우리는 자신의 부족함을 남을 비난함으로 해결하려는 나쁜 습성이 있다. 부족한 점을 채워서 발전시켜 나가려고 생각하면 자신보다 잘난 남을 질투하거나 부러워할 필요도 없다. 생각의 전환이 필요하다. 남을 원망하고 환경을 탓하는 것은 자신이 나약하다는 징표에 지나지 않는다.

아우렐리우스는 '인생이란 하나의 연극(演劇)이다.'라고 했다. 신에 의해 주어진 자신의 역할을 완전히 자기 자신의 것으로 만드는 사람이 '훌륭한' 사람이고, 그런 사람의 인생이 '좋은' 인생, 즉 행복한 인생이다. 반대로 주어진 배역에 만족하지 않으면서 불평불만을 하는 자는 나쁜 배우이다. 이런 사람은 연극의 본질을 이해하지 못하는 자이다. 배우는 연출가에 의해 자신에게 주어진 배역(配役)에 대해 불평할 수 없다. 마찬가지로 우리는 우리의 인생에 대해 불평할 수 없다.

자, 태양이 동에서 떠서 서로 진다는 사실을 불변의 법칙으로 우리는 알고 있다. 그러나 이 문제를 가만히 들여다보면 순전히 지구에 사는 사람들의 관점이다. 태양의 관점에서 보면 지구가 스스로 한 바퀴를 도는 것이다.

이처럼 우리의 잘못된 생각과 판단이 고착되어 바른 이치, 참된 삶에 역행하는지 살펴보아야 한다. 강한 사람은 문제의 원인을 늘 자신에게서 찾는다. 자신을 고칠 수 있는 사람은 자기 자신밖에 없다. 자신이 하는 일에 자부심과 긍지를 가지고 자신과 소통하면서 타인과 동행하는 삶이 진정한 행복으로 가는 길이다.

이제는 레오나르도 다빈치처럼 한 사람의 천재가 모든 일을 다 해내는 시대는 지났다. 여러 분야의 전문가들이 힘을 합하여 하나의 큰일을 이루어가는 시대가 된 것이다.

이러한 환경에서 필수적인 것은 다른 분야의 사람들에게 자신의 전문적인 지식을 분명하고 확실하게 전달하는 능력이다.

물론 여기에는 다른 분야의 사람들이 하는 말을 정확하게 이해하는 능력도 포함된다. 이런 능력이 없는 전문가는 자신이 맡은 분야에서는 자신 있게 일을 추진할 수 있다. 하지만 팀워크를 통한 협력의 능력이 없기 때문에 큰 가치의 성과를 만들어 내는 건 불가능하다. 현대 사회는 그렇다. 이런 능력이 바로 인성인 것이다. 따라서 소통, 네트워크, 통합 능력 등이 부족한 사람은 21세기 성공키워드와 맞지 않는 인간이 되는 것이다.

아무리 실력을 갖추었다고 하더라도 성품이 밑바탕이 되어 있지 않으면 우리의 재능은 진정한 빛을 발할 수 없다. 더 중요한 것은 이런 성품은 하루아침에 만들어지는 것이 아니라는 사실이다. 어려서부터 몸에 배어있지 않으면 성인이 되어서 성품을 바꾸는 것은 매우 어렵다. 타인을 배려하고 공동의 가치를 중시하는 마음은 어릴 때부터 길러주도록 해야 한다. 그래야 참된 인간으로 성장할 수 있다.

20 자신의 가치를 극대화 하자

사람은 자신의 관점과 일치하지 않는 행동은 할 수 없다. '자신을 부정적으로 보는 사람은 긍정적인 일을 절대로 하지 못한다.'라고 지그 지글러라는 사람이 이야기했다.

즉, 자신을 어떻게 바라보는가가 인생의 모든 면에 영향을 준다는 것이다.

자신을 사랑하지 못하고 가치를 부인하는데 어떻게 어려움이 닥치면 적극적인 생각과 방법을 찾겠는가? 자신을 신뢰하고 자신의 잠재능력을 믿고 할 수 있다는 긍정적인 생각을 갖는 것이 중요하다.

그러면 자신의 가치를 높이는 방법을 무엇일까? 존 맥스웰의 「사람은 무엇으로 성장하는가」를 인용하여 나의 삶에 적용해 보자.

순서	[2] 가치를 높이는 방법	실천내용
1	자기 자신과의 대화가 절대적이다. 존 아사라프와 머레이 스미스가 쓴 「the answer」라는 책에는 아이들이 17살 될 때까지 '아니 넌 할 수 없어'라는 말을 15만 번 듣고 '그래 넌 할 수 있어'라는 말은 약 5천 번 듣는다고 한다. 부정과 긍정의 비율이 30대1이다.	자신과의 대화가 긍정적이면 긍정적이게 되고 부정적이면 삭막한 사람이 된다. 자신에 대해 관점을 바꾸려면 자신에게 말하는 방식부터 바꿔야 한다. 우리 스스로 자신을 격려하고 배려하며 응원해야 한다. 실수를 하면 스스로 자신의 결점을 들춰내지 말고 자신의 성장에 필요한 보약이라고 생각하자.
2	다른 사람과 비교하지 않는다.	남과 비교할 때 이미 상대를 통하여 상처를 받거나 상처를 주는 존재가 되는 것이다. 즉 비교함으로써 교만해 지거나 비겁해지는 것이다. 남과의 경쟁과 비교 보다는 어제의 나와 오늘의 나를 비교하는 것이 현명하다.
3	자신의 일정한 굴레를 벗어나야 한다.	찰스 슈왑은 자신이 할 일에 제한을 두는 것은 곧 자신이 할 수 있는 일에 제한을 두는 것이라고 했다. 자신을 가로막는 것은 자신의 진짜 본질이 아닌 스스로의 본질이라고 단정하는 것임을 분명히 알아야 한다. 인생에서 가장 한탄해야 할 일은 끝내지 못한 일이 아니라 시작조차도 시도하지 않은 것이다.

2) 「존 맥스웰의 사람은 무엇으로 성장하는가」 인용

순서	가치를 높이는 방법	실천내용
4	다른 사람의 가치를 높인다.	우리는 다른 사람의 칭찬에 인색하다. 상호교제와 교류, 공감 속에서 상대방을 존중하게 될 때 자신의 가치도 상승하는 것이다. 사회는 네트워크이지만 삶은 네트워킹이다.
5	힘들더라도 바르고 정직한 일에 몰두하자.	부정과 비리, 잘못을 알고도 행할 때, 거짓말과 바르지 못한 일로 탐욕을 부릴 때 인간은 외로워지는 것이다. 좋은 성품과 바른 행동이 멋진 인생과 강한 인간을 만드는 원동력이다. 바른 행동과 사고는 자신을 바라보는 시각도 좋게 만든다.
6	큰 원칙을 세우고 작은 실천으로 삶을 이끌어 가자.	인생의 큰 목표와 계획은 삶의 진정한 행복의 포인트이다. 한 번에 되는 것은 없다. 한꺼번에 할 수 없으므로 날마다 조금씩 실천해 가는 것이 중요하고 이러한 삶이 되기 위해서는 긍정적인 습관과 끈기가 필요하다.
7	작은 성취에 스스로 칭찬하자	나는 올바른 방향으로 가고 있는가? 지금 가고 있는 길이 맞는가? 자문자답을 통해서 격려하고 반성하고 확인해야 한다. 거위털 하나는 아무짝에도 쓸모없는 것이지만 거위 털을 모아서 거위 털 패딩복을 만들면 한 겨울 추위를 이겨낼 수 있는 가치 있는 존재가 된다. 자신의 작은 실천과 성과가 나중에는 엄청나게 존재감 있는 삶을 만들 것이다. 자신의 작은 실천에 칭찬을 아끼지 말자.

[3]인생의 방향을 알고자 노력하는 모든 젊은이여, 실패를 두려워 말라. 우리가 배워야 할 인생의 지혜는 공자, 맹자, 노자가 아니라 패자(敗者)가 더 많이 알려준다.

자기 스스로 못난 인간이라고 여기는 사람에게 이제 그만 잠을 줄이고 게으름에서 벗어나라고 말해주고 싶다.

스스로 한계를 결정짓지 않고, 그것을 뛰어 넘으려 끊임없이 노력하는 사람, 그들에게는 분명 기회가 찾아온다. 제우스의 아들인 '카이로스(Kairos)'는 '상대적인 시간의 신'이자 '기회의 신'이다. 기회의 신 동상 앞에는 이러한 문구가 있다.

---

3) 양광모의 그림이 있는 인생노트 「귀띔」에서 일부 인용

"내 앞머리가 무성한 이유는 사람들로 하여금 내가 누구인지 금방 알아차리지 못하게 하고 나를 발견했을 때는 쉽게 붙잡을 수 있도록 하기 위함이며, 내 뒷머리가 대머리인 이유는 내가 지나가고 나면 다시는 나를 붙잡지 못하게 하기 위함이며, 발에 날개가 달린 이유는 최대한 빨리 사라지기 위해서다. 저울을 들고 있는 이유는 저울을 꺼내 정확히 판단하라는 의미이며, 날카로운 칼을 들고 있는 이유는 칼같이 결단하라는 의미이다. 나의 이름은 '기회'이다."

우리에게 매일 다가오는 이 기회를 잡으려면 항상 준비되어 있어야 한다. 그리고 기회가 다가왔을 때, 정확한 판단과 칼 같은 결단력으로 민첩하게 대처해야 한다. 그러려면 우리는 스스로의 한계를 뛰어넘기 위해 준비해야 한다. 준비하는 자만이 기회를 잡을 수 있기 때문이다. 우리의 자녀들 스스로의 한계를 뛰어넘어, 새로운 세상의 기회를 잡을 수 있기를 바라며 기회란 실패와 연동되어 옴을 잊지 말자.

21 처음 마음이 진정이라면 끝까지 한결같아야 한다

중국 전국시대 유세가의 전국책(戰國策)에 행백리자반구십(行百里者半九十)이라는 이야기가 나온다. 진나라의 진왕(통일 후 진시왕으로 불림)이 강력한 군대와 능란한 외교력을 통해 마침내 전국시대 일곱 개 나라인 전국칠웅 중에서 가장 강력한 나라가 되었고 나머지 여섯 나라는 진나라가 갈수록 강대해지는 것과는 반대로 갈수록 약해지고 있었다.

중국의 천하통일도 머지 않은 것처럼 보였고 마침내 진왕은 마음이 느긋해졌다.

그래서 정사(정치)는 자신의 신복과 자신을 따르는 재상들에게 맡기고 자신은 향락을 즐기기 시작했다. 진왕은 통일된 나라에 대한 꿈을 망각한 채 세월을 흘려보냈고, 긴장이 풀어진 군사들은 나태해지고 여러 가지 민심을 거스르는 사건들을 일으켜서 나라가 점점 시끄러워지기 시작했다. 이러한 나라의 형국 속에서 한 백발의 노인이 진왕을 찾아와 뵙기를 간청한다. 눈빛이 예사롭지 않고 진중한 용모의 노인에게 진왕이 "백 리 떨어진 곳에서 오셨다 들었는데 무슨 일로 힘든 여정을 마다하고 왔느냐?"고 묻자 노인은 "소인이 집을 출발해서 90리를 오는 데 딱 열흘이 걸렸는데 남은 십리 길을 걸어오는데 열흘이 걸렸습니다."라고 했다.

이 말을 들은 진왕이 웃으며 말했다. "처음에 90리를 걸어오는데 열흘 걸렸다고 하지 않았습니까? 그런데 나머지 10리 길을 오는 데 열흘이나 걸렸습니까? 혹시 잘못 알고 계신 것 아닙니까?". 그러자 노인은 "처음에는 열심히 걸어서 열흘 만에 90리까지 올 수 있었지요. 이제 다 왔다는 생각이 드니까 좀 쉬고 천천히 가도 되겠네 하는 마음이 들면서 다시 걸으려고 하니 몸도 무거워지고 걷는데 무척 어려웠습니다. 마지막 10리 길을 걸으면 걸을수록 점점 걸음 속도가 느려지고 이를 악물고 애를 써서 오다보니 열흘이나 걸렸습니다. 제가 지금 도착해서 생각해보니 90리까지 온 것은 거의 다 온 것이 아니라 딱 반을 온 셈이었습니다."

이 말을 들은 진왕은 "노인께서는 저에게 무슨 말을 하시려는 겁니까?"라고 질문했고 이에 노인은 "제가 보기에 우리 진나라의 천하통일 대업은 90리를 온 것과 같습니다. 왕께서 모든 여건과 주변 환경이 이미 대세는 "나의 세상이다"라고 생각하고 계신것 같은데 그것은 이제 겨우 반을 이룬 것일 뿐입니다. 나머지 반을 위해서는 더욱 긴장하고 더욱 노력해야 합니다. 나머지 10리 길이 더욱 힘들고 어려운 길임을 명심하여야 합니다."라고 대답했다. 진왕은 노인의 충고에 정신이 번쩍 들었다.

그리고 나태해지려는 자신을 다시 단단히 부여잡고 더욱 부지런히 노력하여 마침내 마지막 10리 길을 달려서 천하통일이라는 대업에 도달하게 된다. 이 일화로 나온 말이 행백리자반구십(行百里者半九十) 이다.

나라가 든든히 서고 안정되기 위해서는 그만큼 힘들고 어려운 시기와 과정이 요구되며 더욱 신중하여 긴장의 끈은 놓아서는 안 된다는 중요한 교훈이다.

어떤 일이 거의 이루어져가는 상황에서 마지막에 약간의 실수나 약간의 부족 때문에 전체 일이 그르치게 되는 상황을 형용하는 말이다. 또한 진왕이 하찮아 보이는 노인의 말을 경청하고 충심으로 우러나오는 충언을 가슴 깊이 받아들인 것도 주목해서 보아야 한다. 왕 주변에 수많은 신하들이 있지만 이런 충언을 하는 신하가 없었다는 것도 문제이다.

지근거리에 있는 사람들의 한마디는 매우 크게 들리기 마련이다. 세상 역사를 보면 적은 멀리 있는 것이 아니다. "이 정도면 되겠지"라는 본능적 안주성향과 "나 정도는 잘하는 것 아니야"하는 교만과 우월감이 실패의 가장 큰 적이다. 성경에도 "선 줄로 생각하는 자는 넘어질까 조심하라"는 말씀이 있다.

자신의 생각에 맞추어주는 참모의 달콤한 유혹에 빠져 귀에 거슬리는 충언을 듣지 않으면 자멸한다. 동굴 안에 있으면 시야도 좁아지고 작은 소리도 크게 들리며 그것이 전부인 것처럼 느껴진다. 동굴 밖으로 나오면 세상은 전혀 다르게 보인다.

세상을 바르게 살기 위해서는 아래에서 위를 올려다 보는 것이 아니라 위에서 아래로 넓게 보고 멀리 보는 통찰력이 있어야 한다. 이젠 됐다는 스스로의 방심과 이만 하면 슬슬해도 된다는 주변의 부추김이 우리로 하여금 "나 만큼만 하면 너도 잘하는 거야"하는 건방을 떨게 하고 "내가 해봐서 아는데 그것 아니냐"라는 독선과 "내 말 들어"하는 아집으로 불통이 되는 것이다.

노자는 "마지막을 신중하게 하기를 처음과 같이 할 수 있다면 잘못되는 일은 없을 것이다."라고 했다. 우리는 무슨 말을 하고 어떠한 상황과 무엇으로 나의 삶을 증명할 수 있는지 고민하고 성찰해야 한다.

내면의 깊은 각성과 결단하는 삶의 에너지가 필요하다. 처음과 같은 마음으로 마지막 날까지 …….

22 자신의 마음과 세상 끝 날까지 소통하며 살아가자

과학기술의 눈부신 발전은 분명 우리 삶을 편리하게 해 주었다. 디지털 정보 기술, 생명과학, 나노 공학, 로봇 공학은 우리가 옛날에 상상도 하지 못했던 일들을 가능케 만들었다. 더욱 안락한 생활 그리고 더욱 긴 수명에 대한 인류의 욕망을 첨단 과학기술은 충족시켜 주고 있다. 하지만 편리한 삶이 곧 행복한 삶이라고 말할 수 있는 걸까? 과학기술의 유토피아가 인간을 진정으로 더 행복하게 만드는가? 과학기술의 발전이 인간 삶의 궁극적인 목적인가? 인간 삶의 최종적인 목적은 대체 무엇인가? 우리는 무엇을 위해 오늘을 살고 있고, 또 무엇을 위해 이 모든 문명의 이기(利器)를 즐기고 있는가? 나는 누구이며, 어디에서 왔는가? 다소 고리타분한 질문으로 보일지도 모르겠다. 하지만 조금만 더 생각해 보면 세상에서 이보다 더 중요한 질문들은 없다. 이런 질문들은 삶의 근본적인 질문이다. 삶의 근본적인 질문은 어떤 시대에도 항상 던져지는 질문이다. 세상이 바뀌어도, 세대가 바뀌어도 이런 질문은 결코 죽지 않는다. 그러나 삶의 근본적인 질문에 대해서 오늘날의 과학기술은 아무것도 말해 줄 수 없다.

삶이란? 현실에 존재하는 문제를 해결하기 위한 가장 근본적인 해결책을 추구하고 근본을 추구하기에 응용범위가 넓고 원리를 터득하면 만사형통이기 때문이다.

기업이든 한 사람이든 기본적인 삶의 철학과 정신이 없는 존재는 오래 갈 수 없다. 사람은 누구나 인정받고 싶어 한다.

자신을 관리하는 가장 좋은 방법은 세상을 살아가면서 험난한 인생의 파도를 헤쳐나가면서 끊임없이 자기 자신을 격려하는 것이다.

자신을 늘 인정하고 격려하고 칭찬하자. 긍정적인 소통이 필요하며 나는 할 수 있다는 긍정적인 소통을 하며 스스로의 영혼을 깨우는 하루하루의 삶이 쌓이면 언젠가는 큰 변화의 주인공이 되어 있을 것이다.

아우렐리우스의 명상록에 "인간은 어떤 곳에서도 자신의 마음에서보다 더 많은 안정과 평화를 얻을 수 없다. 생사를 건 싸움을 벌이지만 결국 마지막 순간에 모두 재로 돌아간다는 것을 명심하라. 어떠한 것도 영원하지 않기 때문에 박수갈채를 받을지라도 의미가 없는 것이다. 인간은 언제나 망설이는 존재이며 항상 선택의 어려움에 직면해 있는 존재라는 것을 기억하라."고 쓰여 있다.

학생이 발명대회에 도전하는 것, 자신의 가능성에 도전장을 내는 일, 그것은 나에 대한 혁명의 시작이다. 이런 인생이 행복한 인생이 되는 것이다.

어떤 일을 할 때 무엇을 위한 것인지 분명히 알고 구체적인 방법과 실천 행동으로 갈 때 참 행복을 느낄 수 있다. 무엇을 하든지 행복하기 위해서 해야 한다.

할 수 없어서 마지못해 하는 모든 것은 결국 불행으로 다가올 수밖에 없다.

현대인들은 작은 것에 탐닉하고, 작은 것에 분노한다. 현대인들은 일상생활과 주변 사람들에게 너무 쉽게 상처를 받는다. 자신의 상처받음 자체에 집착함으로써 스스로 그것을 더 큰 상처로 만들어 버린다. 아우렐리우스는 넓은 시야로 삶을 바라보는 관점을 취한다면, 사실 상처로 느낄 만한 것은 별로 없다고 말했다. 그리고 분노할 일도, 좌절할 일도 별로 없다고 했다. 우리가 쉽게 상처받고 사소한 일에도 분노하고, 작은 일에도 좌절하는 것은 우리의 자아가 왜소하기 때문이다.

아우렐리우스는 우리가 우리의 자아를 스스로 확대시킬 것을 권한다.

이 세상의 삶의 과정에서 생기는 문제를 자기 자신에게서 찾아야 한다.

문제의 원인을 밖에서 찾는 사람이 많다.

남을 원망하고 환경을 탓하는 것은 자신이 나약하다는 징표이다.

신에 의해 주어진 자신의 이 세상의 역할을 완전히 자기 자신의 것으로 만드는 사람이 '훌륭한' 사람이고, 그런 사람의 인생이 '좋은' 인생, 즉 행복한 인생이다. 반대로 주어진 배역에 만족하지 않으면서 불평불만을 하는 자는 나쁜 배우이다. 이런 사람은 연극의 본질을 이해하지 못하는 자이다. 배우는 연출가에 의해 자신에게 주어진 배역(配役)에 대해 불평할 필요가 없다. 마찬가지로 우리는 우리의 인생에 대해 불평할 필요가 없다.

태양이 동에서 떠서 서로 진다는 것은 불변의 법칙이다. 그러나 이것은 지구에 사는 사람들의 관점이다. 태양의 관점에서 보면 지구가 스스로 한 바퀴를 도는 것이다.

우리의 잘못된 생각과 판단이 고착되어 바른 이치, 참된 삶에 역행하는지 살펴보아야 한다. 강한 사람은 문제의 원인을 늘 자신에게서 찾는다.

자신을 고칠 수 있는 사람은 자기 자신밖에 없다. 자신이 하는 일에 자부심과 긍지를 가지고 자신과 소통하면서 타인과 동행하는 삶이 행복하다.

CHAPTER 02

숨겨진 재능과 발명

1 지문을 통해 사람의 적성을 알 수 있다

지문의 무늬를 통해 적성에 맞는 직업을 알아볼 수 있는 재미있는 연구결과가 나왔다. 채용포털 커리어, 인크루트는 지문다중지능평가기관인 한국요성과 함께 '지문을 통한 직업 유형'을 발표했다.(사진은 왼쪽 엄지를 기준으로 했다.)

■ 정기문 형

- 지문형태 : 지문의 무늬가 약지쪽 방향으로 긴 타원형을 그리듯 흘러가는 형태로 한국인이 가장 많이 갖고 있다.
- 성격 : 감성적이고 풍부한 표현력을 지니고 있다.
- 직업 : 예술가, 연예인, 세일즈맨, 마케터, 서비스종사자 등에 어울린다.

■ 반기문 형

- 지문형태 : 지문의 무늬가 엄지쪽 방향으로 긴 타원형을 그리듯 흘러가는 형태로 정기문과 반대 방향의 모습을 띄고 있다.
- 성격 : 독창적이고 개성 넘치는 성향을 지니고 있다.
- 직업 : 작가, 예술가, 영화감독 등 창의성을 발휘하는 분야에 적합하며, 과학적 연구와 수사, 조사 등의 직업에도 걸맞는다.

■ 쌍기문 형

- 지문형태 : 정기문과 반기문이 공존하는 모양으로 지문의 무늬가 회오리를 그리듯 보인다.
- 성격 : 조율 능력이 뛰어나며 사교적인 성향을 지니고 있다.
- 직업 : 컨설턴트와 심리상담가, 외교관, 무역통역관, 여행 가이드 등에 적합하다.

■ 두형문 형

- 지문형태 : 지문의 무늬가 중심에서 원을 그리는 형태로 보여 진다.
- 성격 : 리더십과 통솔력, 기획력이 뛰어나다.
- 직업 : 기업 CEO, 연설가, 정치가, 지도자에 적합하며, 회사 내에서는 기획이나 관리업무에 해당된다.

■ 호형문 형

- 지문형태 : 지문의 무늬가 잔잔한 물결을 이루듯 흘러가는 형태로 보인다.
- 성격 : 사무능력과 관리능력이 뛰어나며 안정적인 성향을 지니고 있다.
- 직업 : 공무원, 교사, 자원봉사자, 비서, 회계직 등에 적합하다.

TIP 이 세상에 모든 사람의 얼굴이 다르고 개성이 다르듯이 조물주가 누구에게나 타고난 소질과 잠재적 능력을 가지고 있다. 먼저 자신들의 적성과 재능을 발견하고 계발하는데 초점을 맞추고 삶의 목표와 방향을 찾아 줄 수 있는 여러 방법을 도입하는 실용교육이 선수 학습되어야 한다.
자기가 할 일을 찾아낸 사람은 행복하다. 사람은 자신의 꿈대로 자신 있게 전진하고 그것을 성취하기 위해서 노력한다면 언젠가는 성공할 수 있다. 상상력을 자극하라. 자신이 하고 싶은 일에 도전하고 문제점을 찾고 해결방안을 모색하는 모든 일이 과학과 발명의 만남이다. 발명이 여러분의 삶에 전환점을 줄 것이다.

2 숨겨진 재능과 두뇌유형

가. 타고난 소질

옛 어른들께서는 사람이 세상에 태어날 때 "제 먹을 것은 다 가지고 태어난다."고 했다. 그러나 이 말은 태어나기만 하면 다 해결된다는 것은 아닐 것이다.

타고난 소질을 계발해서 빛을 발할 수 있도록 해야 된다는 뜻이 들어있다고 볼 수 있다. 먹을 것이란, 곧 그 사람만이 가진 남다른 재주이기 때문이다.

예를 들자면, 007 영화에서 주연 배우로 영웅이 된 숀 코네리는 벽돌공이었고, 프랑스의 유명한 배우 이브 몽땅은 학교 교육을 제대로 받지 못했으며, 이태리의 칸초네 가수 페리 코모는 원래 이발사였으나 노래를 잘 부르는 자신의 소질을 발견하고 노력하여 세상의 명성을 얻었다.

어디 그 뿐인가? 엘비스 프레슬리는 원래 트럭 운전수였으나 자신이 가진 음악성을 꽃피워서 세계적인 록음악 황제로 자리 잡았다.

그들은 어떤 환경에 처했든 간에 자신의 소질을 계발하는데 심혈을 기울였고, 배우나 가수가 된 뒤에도 쉬지 않고 노력했기 때문에 좋은 결과를 가져온 것이다.

여러분들은 모두가 남다른 소질이나 재주를 지니고 있다. 그걸 갈고 닦기 위해선 끊임없는 노력과 인내심이 있어야 한다.

풍요로운 내일을 위해 나의 소질은 무엇인지 생각해 보고 그 소질을 계발하는 일에 최선을 다해야 할 것이다.

어느 분야에서나 발명적 사고와 자신의 재능과 소질, 그리고 타고난 적성은 개인의 삶의 활력과 에너지이다.

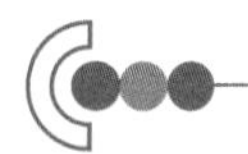

나. 숨겨진 재능과 두뇌

자신의 아이가 영재라고 믿고 싶은 부모는 많다. 하지만 아이의 적성과 특징을 제대로 파악해 능력을 키워주는 부모는 많지 않다. 영재성을 키워주기에 앞서 영재성이 있는지부터 정확하게 파악해야 한다. 우리 아이 혹시 천재 아닐까? 아이들이 자라면서 '기특한 짓'을 보여주기 시작하면 모든 부모가 내 자녀의 특별함을 믿고 싶어 한다. 피아노만 딩동 거려도 모차르트인가 싶고 골프공만 갖고 놀아도 '미셸 위'한다. 하지만 이런 열망에도 불구하고 정말 아이의 적성과 특질을 제대로 파악하는 부모는 많지 않다.

한국메사에서 지난해 5～13세 자녀를 둔 부모 100명을 대상으로 조사한 결과 '자녀의 능력을 잘 모른다'는 응답이 31%였고 '자녀의 능력을 알고 있다'고 답한 응답자(69%) 가운데 절반 이상이 잘못 알고 있는 것으로 나타났다. 한국메사는 독일 하노버대의 클라우스 우어반 교수가 개발한 TCT-DP(Test for Creative Thinking-Drawing Production)란 진단도구를 사용해 지능뿐 아니라 이를 활용하는 모든 능력을 포함한 종합적인 잠재력을 측정하고 있다. 정미숙 한국메사 대표는 "인지적 능력은 좌·우뇌가 구분되는데 대부분 지능검사에서는 우뇌 정보가 배제돼 종합적인 인지능력을 판단하기 어렵다"며 "좌 · 우뇌가 균형 잡힐 때 최대의 잠재력을 발휘할 수 있다"고 말했다. 좌뇌적 능력은 지식이나 정보를 잘 기억하고 활용·분석·조합하는 논리적 사고력으로 주로 학습능력과 관련된다. 반면 우뇌능력은 융통성, 상상력, 독창성 등 창의적 능력이다.

그럼 우리 아이는 좌뇌형과 우뇌형 중 어느 스타일일까?

■ 위대한 과학자 아인슈타인 형(상대적 좌뇌형)

좌뇌가 우뇌보다 우수한 편이나 우뇌 능력 역시 일정 수준 이상 발달한 유형이다. 극좌뇌형의 교육목표가 상대적 좌뇌형일 수 있다. 새로운 것에 호기심이 많고 탐구능력이 뛰어난 상대적 좌뇌형은 아인슈타인이나 에디슨 같은 과학자로서의 미래가 어울린다. 과학은 치밀한 논리력과 창의적 상상력을 곁들일 때 훌륭한 결과가 나올 수 있기 때문이다.

상대적 좌뇌형인 00군 부모는 평소 책을 많이 읽도록 지도하고 책을 읽은 뒤에는 그림독후감을 그리도록 해 우뇌적 성향을 잃지 않도록 이끌고 있다.

상대적 좌뇌형은 이처럼 논리성과 독창성이 조화를 이루면서 자랄 수 있도록 도와주는 것이 최선이고 전체적인 사고능력이 성장할 수 있는 환경을 만들어 줘야 한다.

■ 천재수학자 아르키메데스 형(극좌뇌형)

좌뇌 능력이 뚜렷하게 발달해 수학 과학에서 두각을 나타낸다. 모범생 소리를 듣지만 로마군과의 전투 중 수학문제를 풀다 사망한 아르키메데스처럼 고지식하고 융통성이 부족해 환경적응력이 떨어진다.

부모가 둘 다 연구원인 00군은 TCT-DP 검사 결과 상위 10%에 드는 극좌뇌형 아이이다. 극좌뇌형 아이들은 부모 역시 극좌뇌형인 경우가 많은데 00군 부모도 이공계 출신이다.

00이 엄마 이 모 씨는 “우리 세대는 창의적 사고의 필요성을 못 느꼈지만 아이가 살아갈 미래에 대비해 창의적 능력을 키우기 위한 노력이 절실함을 느꼈다”고 말했다.

아이에게 유연한 사고를 끌어내기 위해선 정답이 없는 질문을 하는 것이 좋은 방법. 책을 읽은 후 “내용이 뭐였지?”보다는 “그 책에서처럼 세상에 자동차가 없다면?”하는 식으로 묻는다. 다만 극좌뇌형 아이들은 생각 자체가 큰 부담이기에 너무 스트레스를 주지는 말아야 한다.

■ 다재다능 다빈치 형(균형발달형)

10명 중 한두 명에 불과한 균형 발달형은 좌·우뇌 능력이 균형 잡히면서 양쪽 모두 발달한 유형. 00군은 상위 1%에 드는 균형발달형의 특별한 아이이다.

00이 엄마 박모 씨에 따르면 00이는 어릴 때부터 과학과 만들기에 관심이 많았다고 한다.

이와 함께 00이는 어릴 때부터 부모가 가족회의를 통해 가정의 대소사를 의논하고 결정하면서 아이들 의견에 귀를 기울이고 같이 책을 읽고 놀아주는 문화 속에서 자라왔다.

균형발달형 아이는 부모 입장에서 어느 한 적성이 뚜렷하지 않아 실망할 수도 있지만 자라면서 어느 유형보다 크게 성장한다. 수학, 과학, 의학, 건축, 예술

분야에서 천재적인 업적을 남긴 다빈치와 같이 흥미를 느끼는 어느 분야에서건 독보적인 업적을 남길 수 있다.

"균형발달형 아이의 경우 논리성과 독창성을 조화시키도록 지도해야 한다."고 한다.

■ 독창적 예술가 피카소 형(극우뇌형)

00군은 상위 9%에 드는 극우뇌형 아이이다. 극우뇌형은 창의적 사고력이 뛰어난 반면 규율 규칙을 따라 하는 것을 참지 못한다. 학교에서 글짓기 주제를 내주면 엉뚱한 글을 써오는 아이들이 이런 형에 속한다.

이런 아이들은 '산만하다', '엉뚱하다'란 소리를 듣기 쉽다. 아이를 이해 못하고 학교 잣대로만 평가할 때 아이 재능은 빛을 잃는다. 극우뇌형에게 학습지 공부는 '극약'. 아이가 학교생활에 적응하기 힘들어할 때는 역할모델을 일찍 세우게 한 뒤 목표를 이루기 위해 자기통제를 해야 한다고 일깨워주는 방식이 효과적이다.

■ 독보적 건축가 가우디 형(상대적 우뇌형)

00양은 부모의 적극적 지원 아래 온 집안을 '예술작품'으로 만드는 것을 즐긴다. 검사 결과는 상대적 우뇌형이다. 우뇌가 좌뇌보다 우수한 편이나 좌뇌 역시 일정수준 이상 발달을 보이는 유형이다.

예술적인 감각을 구체적인 결과물로 연결 짓는 능력이 뛰어난 상대적 우뇌형은 건축처럼 예술성과 응용성을 통합한 응용예술 분야에서 성공할 가능성이 크다.

상대적 우뇌형은 상대적 좌뇌형과 마찬가지로 자라면서 좌·우뇌의 능력이 상호작용을 하면서 극우뇌형이나 극좌뇌형에 비해 성장할 가능성이 더 크다.

다. 양뇌와 발명적성

왼손잡이가 오른손잡이에 비해 특별한 창의력을 갖고 있다는 인식은 일명 "레오나르도 다 빈치 신드롬"으로 설명된다. 레오나르도 다 빈치는 르네상스 시대의 영웅으로, 자신이 왼손잡이임을 당당히 드러내며 미술, 과학, 문학 등 인간이 사유할 수 있는 모든 분야에서 경이적인 창의력을 발휘했다. 다 빈치의 영향이 어찌나 거셌던지, 후세들은 다 빈치와 같은 왼손잡이만 보면 "뭔가 특별한 창의력이 있다."고 여기게 됐다는 것이다.

레오나르도 다 빈치(1890-1519).

"왼손잡이는 창의적이다."라는 편견을 심어준 장본인. 동시대에 살았던 미켈란젤로(1475-1564)도 역시 왼손잡이였다는 사실, 피카소를 비롯한 많은 유명 화가가 왼손잡이였다는 사실 역시 왼손잡이의 창의력을 과신하는 결과를 가져왔다. 그러나 이런 과신은 줄리어스 시이저, 나폴레옹, 벤자민 프랭클린, 아인슈타인 같은 오른손잡이들을 왼손잡이로 왜곡하는 코미디를 연출하기도 했다. 특히 나폴레옹과 아인슈타인은 유명 언론에서조차 왼손잡이로 보도되고 있는데 이는 명백한 사실 왜곡이다.

왼손잡이가 더 머리가 좋다, 혹은 창의력이 뛰어나다는 것은 과학적으로 증명된 사실이 아니다. 단지 왼손잡이의 경우 조금 다른 종류의 창의력을 발휘할 가능성이 높다고 얘기할 수 있을 뿐이다. 1960년대 미국의 신경 생물학자 로저 스페리(Roger Wolcott Sperry)는 인간의 좌뇌와 우뇌는 서로 다른 역할을 한다는 것을 실험으로 증명해 1981년 노벨 의학상을 수상했다. 즉, 좌뇌는 우리 몸의 오른편을 담당하고(오른손잡이), 우뇌는 우리 몸의 왼편을 담당하는데(왼손잡이), 서로의 기능이 많이 다르다는 것이다.

사람들에게 오른손잡이와 왼손잡이가 있는 것처럼 두뇌에도 "좌뇌잡이"가 있고, "우뇌잡이"가 있다. 어떤 사람은 좌뇌가 발달하고 어떤 사람은 우뇌가 발달했으며,

혹은 어떤 사람은 좌뇌 우뇌 모두 발달한 사람도 있을 것이다.
(왼손잡이는 반드시 우뇌가 발달했다고 보기는 어렵다. 오른손잡이 중에서도 우뇌가 월등히 발달한 사람이 많다.)

■ 좌뇌

- 특징 : 말을 하거나 계산하는 식의 논리적인 기능을 관장한다.
- 언어 : 언어적 기능 : 이름 기억을 잘함, 대화 시 단어를 더 많이 사용, 언어적인 자료의 기억, 언어적 정보의 학습에 익숙하다.
- 문제해결 - 분석적(논리적) : 체계적인 방법으로 문제해결, 논리적인 사고.
- 학습 : 직역적 : 논리적 추리를 통한 학습, 수학학습에 익숙하다.
- 감정 : 이성적, 인지적 : 감정억제, 지적, 기존의 것을 개선 선호, 사실적 - 현실적인 것을 선호한다.
- 운동 : 신체의 우측을 단련해야 하며, 기억을 통한 운동의 언어적 표현을 한다.

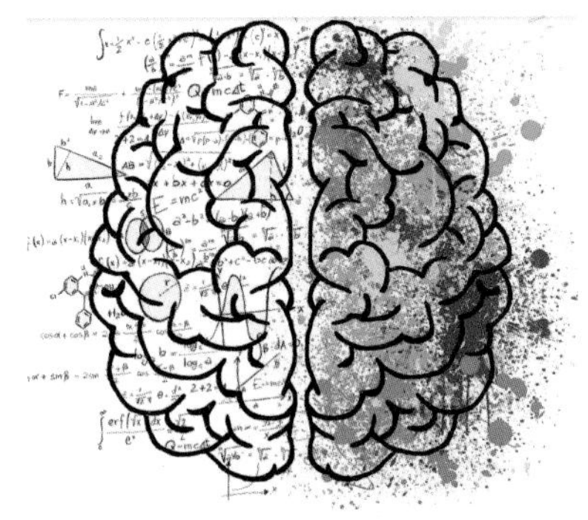

■ 우뇌

- 특징 : 음악을 듣거나 그림을 보거나 어떤 이미지를 떠올리는 기능을 관장한다.
- 언어 : 비언어적 기능: 얼굴 기억을 잘함, 대화 시 신체언어 사용, 음조적인 자료의 기억, 경험적-활동적인 학습에 익숙하다.
- 문제해결 : 직관적(은유적) : 지각적 판단에 의해 문제해결, 유머스런 생각, 행동을 한다.
- 학습 : 공간적 : 기하학적 학습, 공간적-시간적 과정을 통한 학습에 익숙하다.
- 감정 : 감정적, 예술적 : 감정발산, 창조적, 새로운 사실 발견의 선호.
- 운동 : 신체의 좌측을 단련해야 하며, 공간적 운동, 운동기억, 창의적 운동을 한다.

■ 두뇌의 기능

인간의 대뇌는 크기나 모양이 같은 좌우 대칭 형태로 나뉘어져 있으며, 뇌량이라는 신경섬유다발로 연결되어 있다. 1981년 뇌기능 분화론으로 노벨 생리의학상을 받은 스페리 박사에 따르면, 오른쪽 뇌와 왼쪽 뇌의 기능은 상당히 다르다. 두뇌를 연구하는 많은 학자들은 창의적인 사고력과 같은 고차원적인 지적활동을 위해 오른쪽 뇌와 왼쪽 뇌의 기능이 모두 필요하다. 하지만 현재 우리의 환경, 즉 각종 학습형태나 내용, 활동 등은 대부분 왼쪽 뇌의 기능과 관련된 것이다.
따라서 왼쪽 뇌만 발달하는 반쪽 두뇌가 될 수 있으므로 양쪽 뇌를 모두 발달시키는 균형된 두뇌 개발이 필요하며 잘 쓰지 않는 오른쪽 뇌를 발달시키는 활성법이 필요하다.

TIP **두뇌개발 테스트** [인용출처 : http://atukunare.egloos.com/3619271]

여러분의 두뇌는 어느 쪽이 더 발달했을지, 아래에서 테스트해 보자.
다음은 14개의 우뇌 활동이다. 몇 개가 자신에게 해당되는지 세어보자.

- 나는 수영을 즐긴다.
- 나는 스키를 즐긴다.
- 나는 사이클을 즐긴다.
- 나는 새로운 아이디어를 생각해 내는데 뛰어나다.
- 나는 도식과 도표를 쉽게 이해할 수 있다.
- 나는 때때로 느슨해져 아무 일도 하지 않고 편하게 있는 것을 좋아한다.
- 나는 춤을 즐긴다.
- 나는 그림을 그리거나 스케치하는 것을 좋아한다.
- 나는 책을 읽고 난 후, 책 속의 등장인물이나, 장면 그리고 줄거리나 구상을 머리 속에 생생하게 떠올릴 수 있다.
- 나는 제때 전화를 하지 않고 미루는 편이다.
- 나는 낚시를 좋아한다.
- 나는 달리기를 좋아한다.
- 나도 모르게 새로운 아이디어들이 종종 떠오른다.
- 나는 종종 가구를 재배열하고 집안을 장식하는 것을 즐긴다.

TIP **두뇌개발 테스트** [인용출처 : http://atukunare.egloos.com/3619271]

다음은 14개의 좌뇌 활동이다. 몇 개가 자신에게 해당되는지 세어보자.

- 나는 바둑을 즐긴다.
- 나는 사진 찍는 것을 즐긴다.
- 나는 계약서, 설명서, 그리고 법적 서류의 의미를 꼼꼼히 읽고 잘 이해하는 편이다.
- 나는 여행할 때, 세부사항들을 계획하고 미리 준비하는 것에 만족한다.
- 나는 무엇인가 수집하는 것을 좋아한다.
- 집안을 수리하고 개선하는 것을 즐긴다.
- 나는 사전에서 단어를, 전화번호부에서 사람이름을 쉽게 찾을 수 있다.
- 나는 모임이나 강의시간에 노트를 한다.
- 나는 글 쓰는 것을 즐긴다.
- 나는 결과 지향적이다.
- 나는 독서를 좋아한다.
- 나는 악기를 연주한다.
- 나는 낱말퍼즐(crossword puzzle)을 즐긴다.
- 내가 하는 일은 조직화되어 있고, 효율적이고, 질서가 있다.

여러분은 대개 어느 한쪽 뇌의 활동에 더 많은 점수를 받았을 것이다.
보통 오른쪽 두뇌 사고자들은 창조적이고 예술적이며, 문제해결에 있어서 감정이나 직관에 의존하는 반면 왼쪽 두뇌 사고자들은 논리적이며 분석적이며, 신중하고, 계획적이고 일 처리에 세심한 주의를 기울인다.
전체점수가 명확히 어느 한쪽 뇌로 기울지 않았다면, 여러분은 양쪽 두뇌의 문제해결 능력을 모두 가지고 있다.

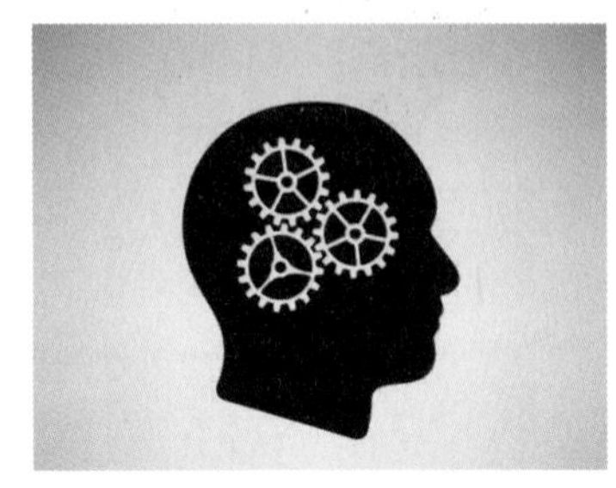

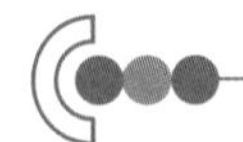

CHAPTER 02

■ 우뇌 개발법 활동내용 [출처 : 별빛가득(http://blog.naver.com/dkfkd4646) 참조]

1. 먼저 왼손을 자주 사용한다.

신체의 움직임은 반대쪽 뇌에서 관장한다. 즉 오른손, 오른발 등을 사용하는 것은 모두 왼쪽 뇌의 명령을 받고, 반대로 왼쪽 신체부위의 움직임은 오른쪽 뇌의 영향을 받으므로 왼손, 왼발 등을 사용하면 오른쪽 뇌를 자극하고 활성화 시킨다.

- 평소에 왼손으로 할 수 있는 일
  버스나 전철에서 왼손으로 손잡이를 잡고가기, 전화기를 왼손으로 받고 왼쪽 귀로 듣기, 왼손으로 전기 스위치 켜기, 왼손으로 찻잔 들고 마시기 등.

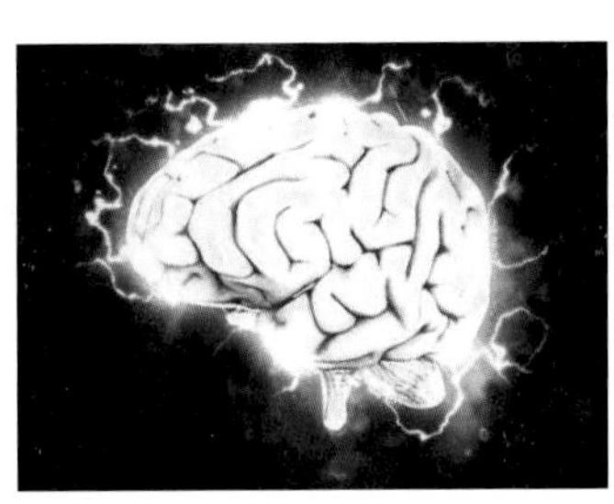

2. 이미지 활동을 자주시킨다.

머릿속으로 그려보게 함으로써 오른쪽 뇌의 기능을 활성화 시키는 것이다

- 머릿속으로 그리기
  '냉장고 안에 무엇이 들어 있을까?'를 생각하게 한다거나, 어떤 동물로 변신하였다고 가정하고 자유롭게 행동을 연출한다든지, 아름다운 꽃이나 식물을 보고 '무슨 냄새가 나고 있을까?' 등을 생각한다면 오른쪽 뇌를 자극하는 좋은 계기가 된다.
- 긴장을 푸는 활동을 시킨다.
  신체적으로나 정신적으로 이완상태가 되면 오른쪽 뇌의 기능이 활발해진다.
- 심호흡 방법
  천천히 코로 숨을 들이마셨다가 잠시 멈춘 다음 천천히 입을 통해 내뱉는 방법이다. 한번에 5~6회 정도가 적당하다
- 근육이완법
  신체의 일정부위에 천천히 힘을 주었다가 잠시 멈춘 다음 서서히 힘을 풀어준다. 심호흡과 병행하면 더욱 효과적이다. 이밖에도 참선, 영상, 요가 등이 있다.

- 오감을 연마 시킨다.
  한 송이의 붉은 장미 - 붉은색, 슈베르트의 자장가 - 감미로운 소리, 달콤한 오렌지 쥬스 - 독특한 맛, 국화향기 - 향기로운 냄새, 부드러운 양탄자 - 손가락에 와 닿는 촉감 등의 오감이 떠오른다.
  오감의 경험은 주로 오른쪽 뇌를 자극하고 새로운 경험을 하게 한다.
  따라서 학생들에게 주위에서 쉽게 볼 수 있으며 느낄 수 있는 사물을 제시하고 유도하는 것이 중요하다.

3. 패턴 인식력을 높인다.

우리는 사람의 얼굴을 기억할 때 얼굴 전체를 동시에 기억하는 것이 아니라 눈매, 코 모양, 얼굴 윤곽 등 어떤 특징을 기억하게 된다. 이때 어떤 형태의 특징들을 끌어내 전체로 통합하는 능력을 패턴 인식력이라 한다.
대표적인 예 - 숨은 그림 찾기(정글이나 초원에서 어떤 동물들이 숨어있는지를 찾기, 동물의 일부분만을 보인 뒤 전체모습을 상상하거나 이름을 알아맞히기, 혼동하기 쉬운 형태들 안에서 정확한 모양 상상하기)가 패턴인식을 위한 좋은 활동이다.
바둑과 장기는 형태를 기억하는 행위이므로 오른쪽 뇌의 패턴 인식력을 높이는데 최고의 방법이다. 패턴 인식력을 향상시키는 주된 목적은 오른쪽 뇌 개발이지만 결국 논리적인 사고로 이어져 왼쪽 뇌도 계발된다.

4. 오른쪽 뇌 음악을 들려준다.

가사가 들어 있는 대중가요나 클래식 음악은 오른쪽 뇌보다 왼쪽 뇌에 관련이 있다. 이에 비해 바로크 음악과 같은 조용하고 가벼운 클래식 음악은 오른쪽 뇌를 자극하여 뇌력을 향상시키며 대표적인 곡은 다음과 같다.
드뷔시 - 바다, 비발디 - 사계, 쇼팽 - 강아지 왈츠, 요한스트라우스 - 아름다운 도나우강, 드보르작 - 유모레스크, 브람스 - 자장가, 바하 - 브란데브르크 협주곡,

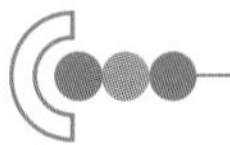

G선상의 아리아, 모차르트-아이네클라이네 나흐트뮤직, 헨델-라르고, 알비노니-아다지오.

5. 뇌를 활성화시키는 음식을 먹인다.

알카리성 식품인 콩과 야채를 많이 먹이도록 한다.
뇌의 활성화를 위해서는 체액과 혈액을 약 알카리성으로 유지하는 것이 좋다. 동물성 단백질은 산성 식품 대신 식물성 단백질이 풍부한 콩과 콩 가공품인 두부, 콩나물, 된장을 많이 섭취하도록 한다. 또한 우유, 해조류, 채소, 과일 등 비타민류의 식품은 효소의 활동을 촉진하고 혈관 자체를 확장시켜 준다.

6. 뇌의 모세 혈관의 기능을 높여준다.

명상, 호흡법, 온수샤워를 한다. 뇌의 모세혈관은 지능 발달에 중요한 뉴런으로 가는 혈액과 산소의 양에 직접 영향을 미친다. 그러므로 호흡법, 요가, 운동 등을 꾸준히 하면 모세혈관의 기능이 좋아지고, 그만큼 뉴런이 활발히 활동하게 되는 것이다. 특히 단전호흡은 많은 양의 산소를 뇌에 보내주게 되므로 뉴런의 활성화에 효과가 있다. 또한 뉴런의 영양 공급과 신진대사를 촉진시키기 위해서는 혈액 순환이 잘돼야 한다. 뇌의 혈액 순환을 좋게 하고 신진 대사를 촉진시키는 활동으로 명상호흡법, 온수샤워, 맨손체조, 줄넘기, 마사지, 지압 등이 있다.

7. 전두엽을 많이 사용하도록 유도한다.

흥미 있는 일을 자주 하게 한다.
대뇌는 전두엽, 두정엽, 측두엽, 후두엽 등으로 나눌 수 있는데 그 중 전두엽은 뭔가 해보고자 하는 의욕이나 희노애락, 창의력을 통제하는 부분이다.

그러므로 전두엽을 자극하려면 대상에 대한 흥미를 이끌어 내는 것이 중요하다. 특히 호기심이 강한 4세 전후의 아이에게는 어떤 것을 하라고 강압적으로 강요하기보다는 아이 스스로 흥미를 갖게 유도하면 전두엽이 발달한다.

8. 이미지력을 강화시킨다.

상황을 머릿속에 그려 보도록 한다.
어떠한 상황을 머리속으로 그려 볼 때, 그 장면을 '이미지'라고 한다. 그런데 이렇게 떠올리는 것은 우뇌의 기능으로 아이에게 평소 자신이 처한 여러 가지 상황이나 그 다음 상황을 미리 머리속에 그려보도록 함으로써 우뇌를 발달시킬 수 있다.

3 혈액형과 발명특성

혈액형과 성격 분석에 대한 이야기는 논란이 많은 것이 사실이다. 혈액형과 성격 사이에는 어떤 관계도 없다는 주장도 있고, 인종 차별을 위해 만들어진 것이라는 이야기도 있다. 하지만 혈액형과 성격 사이에는 어떤 관계가 있다고 생각하면 혈액형의 특징과 발명을 연결하여 진로와 적성을 알아볼 수도 있다.
그럼 혈액형에 따른 특징과 성격 분석, 진로, 발명적성에 대해 알아보자.

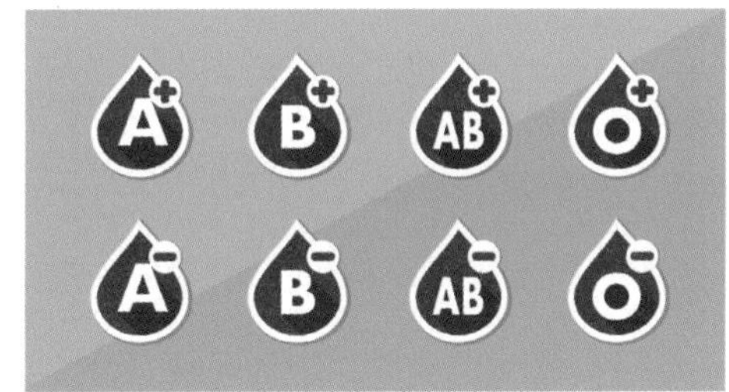

가. A형 - 특징과 발명 적성

■ A형의 특징

A형에게서 볼 수 있는 강한 기질은 '사명감'이다. 이는 평생의 직업을 찾는데 강한 동기를 부여한다. 그래서 스스로의 적성에 크게 구애받지 않으며, '~를 위해서'라는 사명의식이 부여될 때 특유의 실천력을 발휘한다. 스포츠맨은 '국가의 명예를 위해서'라는 사명감으로 열심히 운동하는 경우가 많으며, 예술가는 자기표현보다는 '인류문화의 발전을 위해서' 일하고 있다는 사명감을 가진 경우가 많다.
이보다 범위가 좁은 '가정을 위해서' 또는 '사랑하는 사람을 위해서'처럼, A형은 직업도 자신이 아닌 타인을 위하는 일을 직업으로 삼는 경우가 많다. 다만 의외인 점은 사명의식이 없는 직업을 가졌을 때 그것을 천직이라고 느낀다는 것이다.

■ 장점

A형은 새로운 것을 배우거나 어떤 기능을 익히는 데 겉으로는 상당히 더딘 것처럼 보이는데, 그것은 둔해서가 아니라 특유의 '완벽주의' 때문이다. 그러나 한 번 익힌 것은 완전히 자기 것으로 소화한다. 결단을 내리기 전까지는 우유부단해 보이지만, 일단 마음을 굳히면 누구보다도 강한 실천력을 보인다.

■ 단점

선택한 직업에 최선을 다하는 만큼 스트레스도 많아 술이나 도박 등에 빠질 수도 있고, 과도한 완벽주의 때문에 주변에 만족하지 못하는 경우도 있으며, 어떻게 보면 소심한 면도 A형의 단점 중 하나이다.

■ A형의 진로

착실하고 꼼꼼하며, 책임감 있는 대인관계를 유지하는 A형에게 적합한 직업으로는 교수, 학자, 의사, 법관, 공무원 등이다. 또한 겸손하고 봉사정신이 강하며, 깔끔하고 세심한 A형 여성은 디자이너나 미용사 등의 직업을 가져도 탁월한 재능을 발휘한다.

기본적으로 A형 남녀는 어떤 직종을 택하든 성실하고 노력하는 자세로 인해 성공의 가능성이 높은 혈액형이라 볼 수 있다.

■ A형의 발명적성

완벽주의자가 많아서 너무 집착하면 발명 활동이 더 위축되고 아이디어 개발이나 발명이라고 하면 처음부터 겁을 먹거나 아예 생각조차 싫어하기 때문에 어렵게 느껴지는 것이다.

집착하지 말고 취미로 하는 것이 성공으로 이끄는 지름길일 수도 있다. 다시 말해, 발명을 즐겁고 취미 생활로 발명을 하여 성공하는 능력을 키우자.

- '힐튼'은 예술가이면서도 증기선을 발명하였고,
- 농축 오렌지 주스를 발명한 사람은 대학교수인 '스탈'이었다.
- '호이트니'는 교사였는데 면 방직기를 발명했고,
- 철제의 안전하고 튼튼한 찬장을 발명한 사람은 교회목사인 '디크'였다.

나. B형 - 특징과 발명 적성

■ B형의 특징

B형은 어려서부터 다른 아이들에 비해 교육 효과가 높은 것처럼 보인다. 새로운 지식이나 기능을 재빠르게 습득하는 경우가 많기 때문이다. 하지만 얼마 지나지 않아 기술의 응용이나 자신만의 독자적인 연구에 치우쳐 단순하고 기초적인 부분을 오랜 시간동안에 걸쳐 익히려는 노력을 경시하는 경향을 보인다.

■ B형의 장점

이는 타고난 자신의 독창성과 자유로운 사고방식 때문이다. 하지만 일단 자신의 적성을 알게 되면, 그것을 충분히 살려 성공을 이루는 경우도 많은 편이다. B형은 뛰어난 집중력과 유연한 사고, 어떤 것에도 구속받지 않는 신선한 시각의 힘으로 밀도 높은 일을 해낼 수 있다. 이러한 사회적 지위에 구애되지 않는 사고와 합쳐져, 젊은 시절부터 독자적인 활동을 할 수 있는 바탕이 된다. 인간관계보다는 자신의 적성을 중시하므로 한 직장에서 오래 있는 경우는 많지 않다. 그러나 얼핏 보기에는 형식적인 교제에 쑥스러워하는 B형이 오히려 인간관계에 가장 정통할 가능성도 있다. 세심한 관찰력과 뛰어난 이해력을 지니고 있어, 경험만 쌓으면 복잡 미묘한 인간관계를 정확하게 인식하는 것이다.

■ B형의 단점

자기중심적이며 한 가지에 대한 집중력의 지속시간이 매우 떨어진다.

■ B형의 진로

관광이나 서비스, 자연이나 동물을 다루는 직업 등에 종사하는 것이 좋으며, 저널리스트, 교육자, 사회복지가 등도 잘 어울린다. 또한 어디에도 구애받지 않고 자신의 흥미를 마음껏 쏟을 수 있는 작가, 카메라맨, 스타일리스트, 에디터, 디자이너 등도 잘 맞는 직업이라 할 수 있다. 반면 공학자나 엔지니어, 의료인, 금융가는 크게 어울린다고 할 수 없다.

■ B형의 발명적성

집중력의 지속시간이 떨어지는 B형에게 알맞은 발명 적성은 아이디어가 떠오르면 즉시 기록하는 방법을 사용한다.

- 링컨은 모자 속에 종이와 연필을 넣어두고 언제든지 기록할 수 있게 했다. 링컨의 모자는 '움직이는 사무실'이었다.
- 슈베르트는 머릿속에 항상 아름다운 악상이 흐르고 있었고, 그는 그것을 손 닿는 곳이라면 어디에나 기록하였다. 어느 때는 식당의 식단표에, 어느 때는 자신이 입고 있는 옷에까지 기록했다.

세계의 뛰어난 발명인들은 모두 '기록광'들이었다. 기록하지 않고 훌륭한 발명인이 된 경우는 없다. 기록은 후일에 발명의 재료가 되는 것으로, 기록할 때는 '아주 기발한데!'하고 생각하나 시간이 흐르면 자꾸자꾸 결점이 나타난다. 그러나 결점이 나타나더라도 걱정할 것은 없다. 그것을 고칠 아이디어를 내면 되기 때문이다.

다. O형 – 특징과 발명 적성

■ O형의 특징

O형은 소속감이 강해 집단 활동을 추구하는 경향이 있다. 전문성이 아무리 깊이를 더해도 그것이 집단 혹은 사회 활동으로 이어지지 않을 때, 인생의 기쁨을 잃게 된다. 그래서 전문 분야가 같더라도 직장은 자주 바꾸는 경우가 있다. 따라서 직업을 결정할 때는 장래에 그 분야에서 충분히 집단 활동을 해낼 수 있느냐 하는 점을 사전에 고려하곤 한다. 그리고 의식적으로라도 자신의 전문 분야를 미리 결정해 두는 것이 좋다. 그렇지 않으면 여러 가지 일을 전전하다가 어느 날 예상치 못한 직업의 전문가가 되어 있는 경우가 생기기 때문이다.

■ O형의 장점

학습 능력이 뛰어난 O형은 스스로 필요성을 인식하면 학습 욕구가 더욱 왕성해져서 무엇이건 아주 빠른 속도로 습득한다. 손발을 이용한 신체적인 기술을 익히는

데에는 별 재능이 없지만, 일단 자신의 것으로 만들면 그 기술은 기억과 같이 몸에 배어 확실하다. 다만 반복적인 일은 싫어하므로 이러한 경지에 이르기까지 많은 인내심이 요구된다.

■ O형의 단점

냉철할 때에는 한없이 냉철해지지만 그 반대로 우유부단해질 때에는 한없이 우유부단해진다. 또한 어떤 일에 대한 기술 습득 능력은 높지만, 그 과정인 반복 학습 등은 싫어하고, 인내심이 부족하다는 소리를 많이 듣는다.

■ O형의 진로

O형 중에는 젊은 시절 여러 진로를 탐색하는 사람이 많다. 이익을 좇아 움직이기보다는 자유롭고 호기심이 강해 자신에게 맞는 일을 찾는다는 면에서 발명가의 전형이라고 보는 사람도 많다. 대개 어느 정도에 이르러 자신에게 적합한 분야가 결정되며, 그 후에는 외길로 가는 경우가 많다. 그리고 나이가 들수록 그 분야의 지식과 식견이 넓어지고 또한 깊어진다. 한마디로 장인 정신을 지닌 외길 인생이다. 비교적 어느 직종에나 어울리지만, 냉정하고 침착한 판단을 필요로 하는 직종에서 특히 능력을 십분 발휘한다. 잘 맞는 직업은 공무원, 법관, 비즈니스맨, 관광 및 서비스업, 저널리스트, 교육자, 사회복지가, 예술가, 사업마케터 등이다. 반면 신체적으로 섬세한 기술을 요하는 기술업은 적절하지 않다.

■ O형의 발명적성

호기심이 강한 O형은 발명을 통하여 경제적인 이익과 타의 인정을 받는 방법을 제시한다. 발명으로 세계에서 가장 많은 돈을 번 발명인은 누구이며, 그 발명품은 무엇인가? 그들은 하나같이 보통 사람들이었으며, 발명품 또한 누구나 할 수 있는 '콜룸부스의 달걀'과 같은 것이었다.

- 생쥐를 보고 고안한 미키마우스는 가난한 월트 디즈니를 억만장자로,
- 쌍소케트를 발명한 기능공 마쓰시다는 마쓰시다 그룹 회장으로,
- 여자 친구의 주름치마에 가려진 엉덩이를 보고 발명한 코카콜라 병은 18세 공원이었던 누드 청년을 6백만 불의 사나이로 변신시켜 놓았다.

라. AB형 - 특징과 발명 적성

■ AB형의 특징

사회 참여에 대한 열망이 남다른 AB형은 복지에 관련된 일이나 사회와 타인을 위해 공헌할 수 있는 일에 만족을 느낀다. 또한 어린 아이를 사랑하고 동화를 좋아하기 때문에 유아교육에도 탁월한 재능을 보인다. 무엇이든 대부분의 직업을 원만하게 소화할 수 있는 AB형이지만, 특히 인간관계를 다루고 남을 돌보는 직업 분야라면 적격이다.

AB형의 또 다른 특징은 다각경영이다. 한 가지 분야에서 성공을 거두면 다른 분야로도 손을 뻗어 영역을 넓혀간다. 그래서 두 가지 이상의 직업을 가지고 있는 경우가 많다.

그러나 성공하려는 집념은 부족한 편이기 때문에 자신의 모든 것을 걸지는 않는다.

집단 내의 인간관계가 좋아 누구와도 무리 없이 협조해갈 수 있는 특징은 처세술이 좋은 사람이라는 인상을 준다.

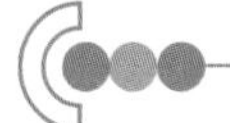

■ AB형의 장점

정보의 수집능력도 뛰어나 안정된 일 보다는 늘 새로운 것을 접할 수 있는 직업이 어울린다. 기질적으로 변덕스러운 면이 있기 때문에 이것을 잘 통제하면 무리 없는 성공을 이루며 인생을 살아갈 수 있다.

■ AB형의 단점

마이페이스이며 변덕스럽고, 항상 어딘가 자기만의 세계에 빠져 사는 경우가 많다. 또한 의지가 약해서 의지박약의 판정을 받는 사람도 가끔 있다.

■ AB형의 진로

지적이며 문학적 기질이 다분한 AB형에게 가장 잘 맞는 직업은 작가, 예술인, 연예인, 외교관 등으로, 어떤 분야에서든 어느 정도의 성공은 이루지만 타고난 의지가 그리 강하지 못해 대성하는 경우는 많지 않다. 어울리지 않는 직업으로는 전문 기술직, 동식물 관계일, 의료업, 금융업 등이다.
AB형 여성은 사회적인 활동에 대한 욕구가 별로 없는 편이다. 젊은 시절에는 다분히 문학소녀적인 취향을 가지고 있어서 남성들과도 대등한 논쟁을 펼칠 만큼 지적이다. 그러나 인생을 살아가다보면 현실에 안주하여 자신만의 세계에서 살아가게 된다. 직업을 갖게 되더라도 경쟁력이 심한 분야보다는 자신의 특성을 잘 살려 사회에 도움을 주는 쪽을 선호하므로 적극적인 봉사활동을 하는 사람들도 많다.

■ AB형의 발명적성

정보의 수집능력이 뛰어난 AB형은 다양한 발명품을 보고 거기에서 힌트를 얻어 발명하는 습관을 기르자. 자신의 능력을 잘 살려 같은 제품군에서도 더욱 뛰어난 제품을 만들어내는 발명 기술을 터득하자.

TIP **머리가 좋아지는 음악** [출처 :http://user.chollian.net/~kbjeong/muroma/muroma04.html]

영국의 권위 있는 과학학술지 「Nature」 최근호는 모차르트 음악을 들으면 수험 성적이 올라간다는 미국 캘리포니아 대학 연구그룹의 실험결과를 대서특필하고 있다. 이 그룹은 대학생을 상대로

① 모차르트의 두 대의 피아노를 위한 소나타 K448'을 들려준 경우
② 혈압 안정용 테이프를 들려준 경우
③ 침묵을 지켜 안정시킨 경우

로 나눠 각종 지능테스트를 해 보았더니
(1)문항이 119점, (2)문항이 111점, (3)문항이 110점으로 나타나 모차르트의 음악을 들었을 때가 가장 좋은 성적을 내는데 효과적이었다는 것이다. 단 1점이 황금 같은 수험생이나 그 부모들에게는 희소식이 아닐 수 없다.
태아에게 모차르트의 음악을 들려주어 생후의 지능지수(IQ)를 높였다는 사례는 더러 있었다.
이를테면 미국 오하이오의 기계공 스세딕 부부는 IQ 160 이상의 천재 4자매를 낳아 화제가 됐었는데, 다섯 달된 태아들에게 클래식 음악을 계속 들려준 것과 무관하지 않다는 학자들의 견해가 있었다. 스세딕 부인은 임신 중 바흐, 모차르트, 비발디, 헨델의 음악을 거실, 침실, 부엌에 배경음악으로 흘려두고 살았다고 했다. 이따금 경쾌한 슈트라우스의 왈츠음악에 맞추어 태아와 왈츠 스텝을 밟기도 하고, 포레의 진혼곡을 틀어놓고 경건한 시간을 갖는다.
하버드대학 교수를 역임한 토머스 바니 박사는 임신 중 1주일에 두 번 한 시간씩 클래식 음악을 듣는 것과, 태아의 생후 지능지수는 함수관계가 있다면서 다음과 같은 곡목을 권하고 있다.
바흐의 관현악조곡과 무반주 첼로조곡들, 비발디의 플루트 협주곡과 바이올린 협주곡 '사계', 헨델의 하프 협주곡과 수상음악, 하이든의 현악 4중주들, 그리고 모차르트의 피아노 협주곡과 세레나데…….

4 21세기 발명인이 갖추어야 할 덕목

신지식인이 각광을 받고 있는 요즘, 직장인들은 너무나도 바쁘다. 시간과 정보, 기업 전략에 건강까지 챙겨야 하니 말이다. 그러나 이와 같은 종합적인 능력이 없다면 언제 도태될지 모르는 위험에 직면해 있는 것이 직장인이다.

강력한 직장인, 피곤한 단어지만 자신은 그 극점에 다다르기까지 얼마만큼 더 노력해야 하는지 짚어보는 것은 어떨까. 다음은 강력한 현대인이 갖추어야 할 열 가지 덕목이다.

■ 정보 창조력
- 컴퓨터 사용 능력은?
- 정보 수집 능력은?
- 정보 활용 능력은?

■ 시간 창조력
- 업무 시간 계획은?
- 퇴근 후 시간 계획?
- 휴가 계획은?

■ 전략 마인드
- 신 경영 기법 이해력은?
- 예측 시나리오 작성 능력은?
- 전략 게임 감각은?

- 글로벌 감각
  - 외국어 실력은?
  - 해외여행 실적은?
  - 해외 정보 활용은?

- 이미지 파워
  - 언어 관리는?
  - 표정 관리는?
  - 복장 관리는?

- 휴먼 터치 능력
  - 대인 관계 평판은?
  - 리더십은?
  - 오락 창조력은?

- 스트레스 내성
  - 건강 상태는?
  - 감정 조절 능력은?
  - 취미 및 특기 활동은?

- 협상력
  - 프리젠테이션 능력은?
  - 심리전을 활용할 줄 아는가?
  - 공동체 의식은?

- 재충전 능력
  - 학원 수강?
  - 세미나 참석은?
  - 독서 수준은?
  - 연구 모임 참석은?

- 성공 의지
  - 도전 목표는 세웠는가?
  - 생애 계획은?
  - 매사에 적극적인가?

생각 열기

■ 본 단원에서 배운 지문의 형태와 모양으로 나의 지문은 어떤 형에 해당되는지 써보자.

■ 우뇌를 개발하기 위해 내가 할 수 있는 것들을 설계해보자.

CHAPTER

03

과학원리와 작품

1 기계요소와 발명

도입

어려서 많이 보았던 『3000리 자전거』란 상표를 단 자전거를 이제는 우리 주변에서 찾아보기가 힘들다. 우리나라에서 많이 생산하던 자전거인데, 왜 생산하지 않고 있을까? 더구나 우리나라는 생산기술 수준이 세계적으로 앞서있는 나라인데 왜 그럴까? 물론 다른 이유도 있지만 인건비의 상승도 일정 부분을 차지한다고 한다.

인건비의 상승으로 생산 단가가 상승하다보니 우리의 훌륭했던 기술들을 중국으로 이전하게 되었고, 이젠 OEM방식으로 중국으로부터 자전거를 수입하고 있는 실정이라고 한다.

그렇다면 우리보다 인건비가 더 비싼 선진국들은 어떨까? 자전거 생산을 하지 않고 외국으로 기술을 이전하고 우리처럼 수입해서 사용하고 있을까?

자전거의 선진국들은 자전거 제조 기술을 다른 나라로 이전하기보다 어떻게 하면 차별화된 자전거를 만들 수 있을까를 생각하고, 그 결과 더 새로운 디자인과 기술이 접합된 새로운 자전거를 만들어 세계 시장에 내놓아 우리를 매혹시키고 있다. 어떤 이유로든 내가 포기할 때 다른 사람 아니면 다른 나라에서는 새로운 기술과 디자인으로 우리 앞에 나타난다.

우리가 큰 고개를 넘기 위해 오르막길을 오른 만큼 내리막길도 길다. 어떤 위기가 닥쳤을 때 그것을 해결한다면 그것은 바로 기회가 되는 것이고 내리막길이 될 수 있다.

어려움이 닥쳤을 때 그것을 해결하려고 나서는 자세, 그리고 그것을 해냈을 때 우리는 그 사람에게 성공했다고 이야기를 해 줄 수 있다.

서양 속담에 "success is a journey, not a destination." 「성공은 목적지가 아니라 여행이다.」라는 말이 있다. 하나씩 성취해 나가는 여정을 즐겨보자. 인생이라는 여행길이 더욱 즐겁지 아니할까?

과학 배경 지식

1. 여러 가지 기계요소의 명칭과 용도

- **크랭크축**
  왕복 운동을 회전운동으로 바꾸어 주는 축
  용도 : 자전거 페달, 캔 압축기
- **캠 축**
  회전운동을 왕복운동으로 바꾸어 주는 축
  용도 : 장난감 인형[북치는 소년]
- **베 어 링**
  축이 회전할 때 마찰 저항을 적게 하는 것
  용도 : 회전하는 기계 부품
- **스 프 링**
  외부의 충격이나 진동을 줄이거나 에너지를 저장하는 것
  용도 : 자동차, 볼펜, 의자, 자전거 안장 등
- **브레이크**
  마찰력에 의해 속도를 줄이거나 멈추게 하는 기계요소
  용도 : 자동차, 세탁기, 자전거 등의 운동물체
- **체인전동**
  스프로킷의 이에 하나씩 물리게 하여 동력을 전달
  용도 : 오토바이, 자전거 등의 운동물체

2. 기계요소의 이해

가. 나사

구 분	내 용
나사의 용도	기계의 부품을 조립하거나 힘과 운동을 전달하는 데 사용
나사의 원리	빗면의 원리를 이용한 것으로 높은 산을 오를 때 절벽을 타고 오르는 것보다 완만하게([그림1]처럼) 빗면을 타고 올라 힘이 덜 드는 원리를 이용
리드(lead)	나사가 한 바퀴 돌 때 축 방향으로 움직인 거리
피치(pitch)	나사산에서 바로 그 다음 나사산까지의 거리

구 분	내 용
크 기	나사의 바깥지름
볼트(bolt)	머리 달린 둥근 막대에 수나사로 깎은 것
너트(nut)	두꺼운 강편의 안쪽 벽에 깎은 것
나사의 종류	삼각나사, 사각나사, 사다리꼴나사, 둥근나사

나사에 숨어 있는 과학적 원리를 찾아서!

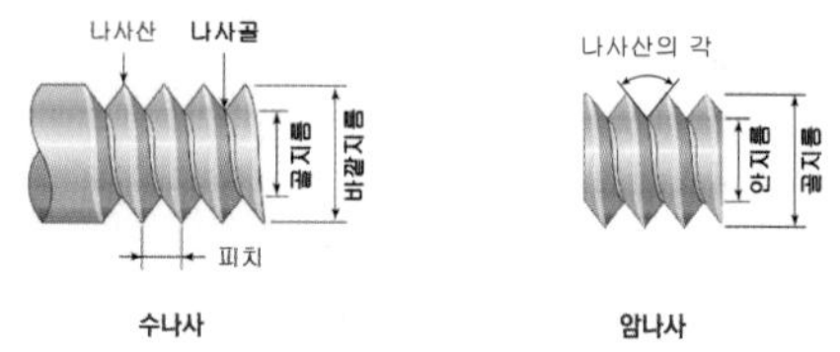

자동차는 산을 오를 때 왜 지그재그로 오를까?

자동차를 타고 먼 길을 여행하다 보면 비탈길, 오르막길, 내리막길, 곧은길 등 여러 길들을 달린다. 그런데 자동차가 산을 오를 때 갈지자 형태로 지그재그로 오르는 것을 볼 수 있다. 이는 자동차가 경사가 심한 곳을 오르려면 힘이 많이 들고 전복될 위험이 있기 때문이다. 따라서 완만한 경사를 만들어 이동을 하게 되는 것인데 이렇게 되면 이동거리가 길어진다.

원래 산 정상에 오르는 것은 수직으로 오르거나 빗면을 타고 오르거나 결국 같은 일을 하는 것이다. 수직으로 오르면 힘은 많이 들지만 이동거리는 짧고 경사를 만들어 빗면을 타고 오르면 힘이 적게 드는데 비해 이동거리는 길어진다.

이것을 이동거리와 힘과 일의 관계로 나타내면 다음과 같다.

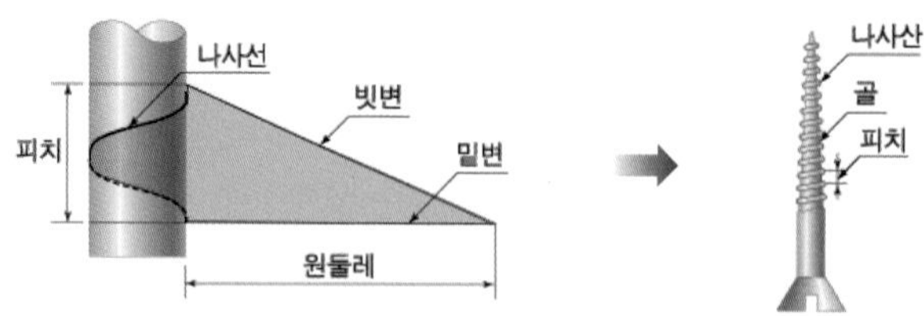

[그림 1][1] 일 = 이동거리 × 힘의 크기

1) 종이를 삼각으로 접어 연필에 감아 보면 나사의 모양을 볼 수 있고 나사의 원리를 이해할 수 있다.

불편한 점 찾기

➔ 학습 방법

조건 설정 방법은 6하 원칙으로 상황을 분석하여 불편함을 찾은 다음 압축기법의 질문으로 문제를 해결해 나가는 발명 기법이다.
압축(Squeeze) 기법은 문제의 기본적인 구성요소를 발견하는 것을 도와준다. 압축은 연쇄적으로 계속해서 질문을 해 나가는 방식을 취하고 있는데 이 때 어떻게(How)와 왜(Why)라는 단어로 질문을 시작한다. 이러한 과정은 문제를 충분히 깊이 있게 이해할 수 있을 때까지 계속해 나가면 된다.

1. 문제의 인식

나는 학교까지 자전거 통학을 하고 있다. 통학 길은 자전거 전용도로가 없어 자동차들이 많이 다니는 큰 길을 이용하는데 큰 화물차가 지날 때마다 자전거 핸들이 흔들려 넘어질까 봐 불안했다.
때로는 핸들이 흔들려 커다란 화물차 밑으로 빨려 들어가는 느낌을 받고 생명의 위협을 느끼게 되어 자전거를 타야할지 다른 해결 방법은 없는지 고민을 하게 되었다.
흔들리는 자전거 핸들을 흔들리지 않게 만들어야 할까? 아니면 자전거 통학을 그만두어야 할까? 나의 고민을 해결해 보자.

어디서(Where)	불편한 점	해결방안
산	험한 산을 오르기 힘들다.	?
물 위	물갈퀴가 있어야 한다.	?
사막	모래밭에서 전진이 안 된다.	?
자동차 도로	큰 차 옆을 지나갈 때 핸들이 흔들린다.	흔들리지 않는 핸들

2. 문제의 발견

큰 화물차 옆을 지날 때마다 자전거 핸들이 흔들린다.

■ 자전거가 흔들리는 이유

자전거의 문제가 아니라 자동차가 지나갈 때의 운동에너지 영향을 받는 것이다. 자전거의 핸들은 공기 저항에 흔들릴 만큼 마찰력이 적다.

■ 해결 방법

자전거의 핸들을 공기 저항에 흔들리지 않도록 마찰력을 증가시킨다.
마찰력이 너무 크면 핸들이 꺾이지 않아 핸들 조정에 문제가 발생할 수 있으니 그 점에 유의해서 제작한다.

3. 문제 해결

핸들에 링을 달고 링 중간 중간에 홈을 파고 그 앞에 볼베어링을 넣어 마찰력을 증가시켰고, 핸들은 꺾을 때 문제가 없도록 만들어 큰 화물차가 다니는 큰 길에서 핸들이 흔들리지 않게 하였다.

4. 문제 해결의 결과

문제를 인식하고 문제를 발견하여 해결한 결과를 작품으로 제작하였다.
자전거 핸들에 기계요소에 적용하고 있는 볼베어링과 나사를 이용하여 자전거 핸들의 꺾임을 마음대로 조절할 수 있게 만들었다.

작품 도면	작품 제작(발명품)
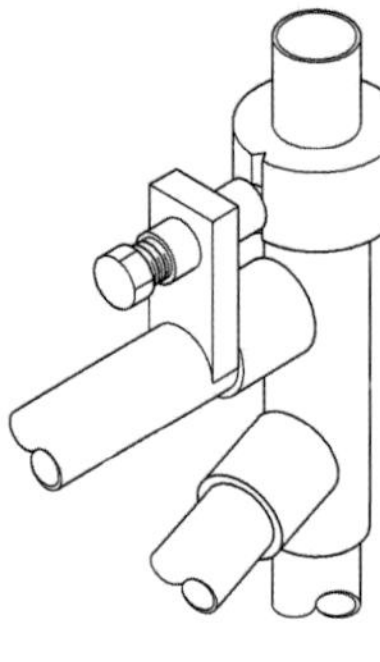	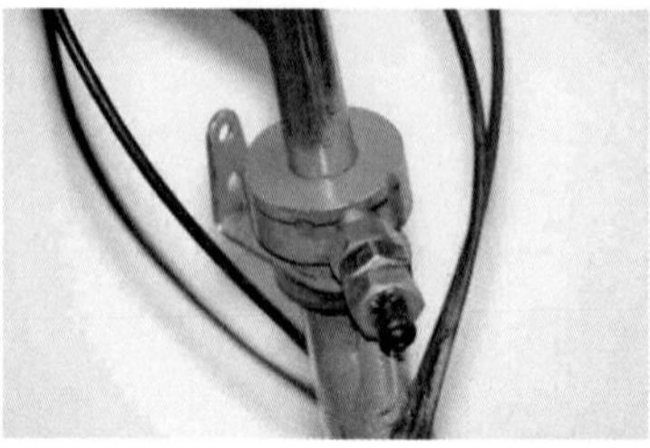

➔ 양손이 자유로운 자전거 파워 핸들

1. 제작 동기

학교를 통학하면서 통학수단을 자전거로 이용하는데 차로로 다니다보면 자전거 핸들이 흔들거려 똑바로 탈 수가 없었습니다. 핸들이 흔들리지 않으면서 좌우회전도 잘되는 핸들이 있으면 좋겠다 싶어서 생각해보게 되었습니다.

분석

- 문제점

  도로에서 자전거를 타다 보면 핸들의 흔들림으로 자전거 타기가 불안하다.

- 해결방안

  볼 베어링을 이용하여 자전거의 핸들이 운전자의 마음에 따라 움직일 수 있게 한다.

2. 작품 요약

핸들 앞부분에 걸림턱을 만들어 평상시에는 볼베어링이 턱에 걸려 핸들이 자유롭게 움직이지 않다가 인위적으로 힘을 가하면 탄성에 의해 볼베어링이 밀리면서 핸들이 자유롭게 움직이게 만든 발명품입니다.

TIP 작품에 적용한 과학적 원리

베어링은 힘과 무게를 지지하면서 물체를 적은 마찰력으로 회전 운동(또는 직선운동)을 시켜 동력과 변위를 전달하기 위한 안내에 사용되는 기계요소다.

 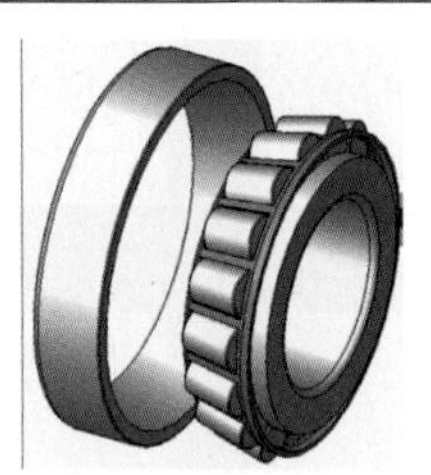

3. 작품 내용

가. 핸들 지지대에 걸림턱을 만들고 상기 차체에 고정 설치된 베어링이 달린 또 다른 고정대를 설치합니다.

나. 걸림턱을 구비한 핸들 파이프형 지지관에 상기 지지관의 선단부에 볼 베어링을 완전이탈이 방지되도록 설치합니다.

다. 상기 돌출돌기에 탄성력을 작용하도록 지지관의 내부에 삽입 설치된 탄성스프링을 통하여 고정합니다.

자전거 도면	핵심부품	발명품

4. 제작 결과

가. 자전거의 직선도로 주행 시 핸들을 정방향으로 조절하여 지지하여 핸들의 흔들림을 방지하여 보다 안정적으로 운행을 할 수 있습니다.

나. 방향전환 시에는 손잡이에 적정의 힘을 가하면 지지부재의 돌출돌기가 후퇴하면서 절원통의 지지홈에서 벗어나 자유롭게 회동 가능하여 핸들축의 조향이 이루어지도록 함으로써 보다 편리하게 자전거를 운행하도록 하는 효과가 있습니다.

■ 기존 발명품과 본 발명품의 비교

구 분	기존 발명품	본 발명품
경제성	비교대상 없음	자전거를 한 손으로 움직일 수 있어 한 손이 자유로워 여러 가지 물건이나 일을 할 수 있어 경제적이다.
창의성	비교대상 없음	자전거의 핸들을 고정하여 손쉽게 한 손으로 자전거를 끌고 갈 수 있는 새로운 발명품이다.
실용성	비교대상 없음	상황에 따라 쉽게 자전거를 움직일 수 있어 작업용 및 레저용으로도 많이 활용될 것 같다.

생각 열기

■ 본 작품에 나타난 과학적 원리를 응용하여 새로운 작품을 구상해보자.

■ 구상한 작품을 도면으로 나타내 보자.

CHAPTER 03

다용도 테니스 네트

1. 제작 동기

테니스, 배구, 족구, 스팍타클 등의 경기를 할 때마다 경기장에 설치된 네트의 높이를 줄자로 맞추고, 경기를 시작하는 것을 보았습니다. 이렇게 경기 때마다 네트를 치는 불편함을 보고 쉽게 해결하는 방법이 없을까 생각을 하던 중 볼펜 속의 용수철을 보고 용수철의 탄성 작용의 원리를 이용하면, 늘어지는 테니스의 네트를 항상 일정하게 고정시킬 수 있을 것이라 생각하고 본 발명품을 만들게 되었습니다.

분석

■ 문제점

네트 경기를 할 때면 운동을 시작할 때마다 네트를 다시 치고 네트의 높이를 재는 번거로움이 있다. [그림 출처 : 구글]

■ 해결방안

인장 코일 스프링을 이용하여 항상 당길 수 있도록 한다.

2. 작품 요약

가. 테니스 네트의 당김줄을 지탱할 수 있는 탄성력이 큰 용수철을 준비하고 고정 장치에 용수철을 연결시킵니다.

나. 기존의 테니스 지주에 고정 장치를 용접합니다.

다. 테니스의 네트를 설치합니다.

TIP 인장 코일 스프링

공간을 효율적으로 이용할 수 있으며 인장력의 원리를 이용하여 설계된 스프링이며 스프링의 초장력을 유효하게 이용할 수 있다. 인장스프링은 양쪽 고리에 Hook가 달려있어 리턴작용을 용이하게 하고 먼 거리 작동과 경·중 하중에 적합한 스프링이다. [그림 출처 : 구글]

반원형 후크	원형 후크	역원형 후크	측면 후크
U 후크	**V 후크**	**사각 후크**	**경사 원형 후크**

3. 작품 내용

가. 네트를 한 번 설치하면 네트가 가라앉지 않아 편리합니다.

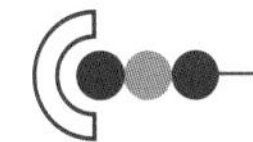

나. 기존의 네트 지지대에 설치할 수 있어 편리하고 경제적입니다.

다. 네트의 마모를 줄일 수 있어 네트의 수명을 연장시킬 수 있습니다.

네트 모습	네트 스프링 지지대	스프링 작동 모습

4. 제작 결과

가. 기존의 네트는 설치 시 항상 줄자로 높이를 측정하고 확인하였던데 비해 본 발명품은 한번 설치로 네트의 높이 측정이 필요치 않아 경기의 질을 한 단계 향상시킨 것이라 할 수 있습니다.

나. 많은 사회 체육 활동을 하는 동호인들이 네트 설치의 번거로움에서 해방되어 쉽게 운동을 할 수 있어 실용적이라 생각합니다.

다. 탁구, 배구, 배드민턴, 특히 군대에서 즐겨하는 족구 등에 적용한다면 효과적이라 생각합니다.

라. 네트가 늘어져 자주 당기다 보면 쉽게 마모될 수 있으나 본 발명품의 개발로 네트를 한 번 설치하면 당기는 횟수를 줄일 수 있고 네트의 마모를 막을 수가 있어 경제적이라 생각합니다.

■ 기존 발명품과 본 발명품의 비교

구 분	기존 발명품	본 발명품
경제성	줄자로 높이를 측정함	본 발명품은 한번 설치로 네트의 높이 측정이 필요치 않아 시간을 절약하여 준다.
창의성		고정 장치에 용수철을 연결시켜 테니스 네트를 고정하는 새로운 발명품이다.
실용성		네트를 한 번 설치하면 네트가 가라앉지 않아 편리하고, 기존의 네트 지지대에 설치할 수 있다.

생각 열기

■ 본 작품에 나타난 과학적 원리를 응용하여 새로운 작품을 구상해보자.

■ 구상한 작품을 도면으로 나타내 보자.

➔ 풀 걱정 없는 나사 못

1. 제작동기

로봇을 조립하다 보면 나사의 홈이 쉽게 마모되어 사용할 수 없을 때가 종종 있습니다. 그럴 때마다 풀 수도 없고 조일 수도 없는 상황이 발생하여 당황하기 일쑤였습니다. 따라서 어떻게 하면 손쉽게 발명품을 만들 수 있을까 고민하다가 본 발명품을 만들게 되었습니다.[그림 출처 : 구글]

분석

■ 문제점

나사를 조이고 풀 때 나사가 마모되면 기계를 사용할 수 없어 기계를 버려야 하는 경우가 있다. [그림 출처 : 구글]

정상적인 나사	마모된 나사

■ 해결방안

나사가 마모되면 6각 또는 4각 렌치를 이용하여 풀 수 있도록 6각 또는 4각 나사를 만들어 사용한다.

2. 작품 요약

작은 나사를 드라이버로 풀고 조일 수도 있으며 펜치나 플라이어로도 할 수 있게 만들어 나사가 마모되어 기계의 사용에 어려움이 없도록 만든 발명품입니다.

TIP 육각 나사 및 사각 나사

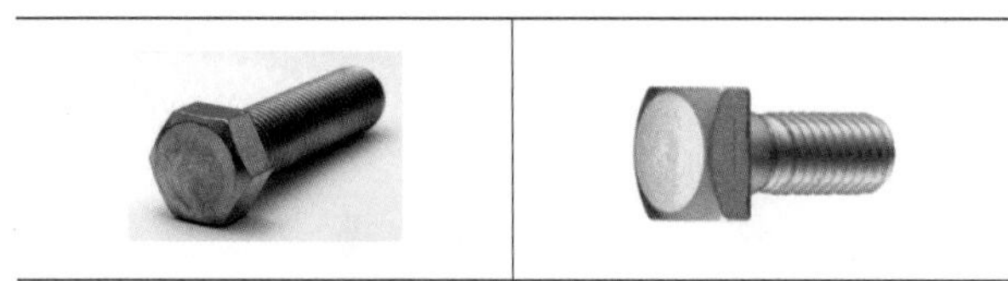

3. 작품 내용

기존 나사를 보면 둥근 모양에 홈이 파져 있는데 본 발명품은 홈이 파져 있는 둥근 나사에 사각이나 육각으로 각을 주어 나사가 마모되었을 때 플라이어나 펜치를 이용해 마모된 나사를 풀 수 있게 만든 발명품입니다.

4. 제작 결과

발명 작품	효 과
	나사가 마모되어 드라이버를 사용할 수 없을 경우 사용할 수 없는 기계들을 렌치나 플러그로도 나사를 조이고 풀 수 있어 기계의 고장을 막을 수 있음.

■ 기존 발명품과 본 발명품의 비교

구 분	기존 발명품	본 발명품
경제성	비교 대상 없음	나사 머리가 둥근 나사에 홈이 파진 나사를 사용할 때 나사의 홈이 마모되면 나사를 풀고 깊이 조일 수도 없는 상황에 이르러 심하면 기계를 버려야 하는 경우가 있으나 본 발명품은 한 단계 더 많은 안전장치를 만들어 풀고 조일 수 있어 기계의 안전에 큰 도움을 줄 수 있는 경제적인 발명품이다.
창의성	비교 대상 없음	기존의 제품과 차별화하여 만든 작품이다.
실용성	비교 대상 없음	나사못을 만들 때 둥근 머리를 사각이나 육각 등으로 각을 지게 만들어 생산하면 실생활에 기존 나사처럼 손쉽게 사용할 수 있어 실용적이다.

생각 열기

■ 본 작품에 나타난 과학적 원리를 응용하여 새로운 작품을 구상해보자.

■ 구상한 작품을 도면으로 나타내 보자.

2 베르누이 원리

과학 배경 지식

베르누이 원리 알아보기

■ 베르누이 원리의 정의

베르누이 원리는 유체의 속력이 빠르면 주변의 압력은 낮아지고, 유체의 속력이 느리면 주변의 압력은 높아지는 원리이다. 아래 그림에서처럼 관내부에서 유체의 속력이 증가하면 유체 내부의 압력이 낮아지고, 반대로 속력이 감소하면 내부 압력이 높아진다. 따라서 압력이 높아지면 유리관 속의 물기둥을 더 세게 누르게 되어 물기둥의 높이가 낮아지고, 압력이 낮아지면 유리관 속의 물기둥을 약하게 누르므로 물기둥의 높이는 높아지는 것이다.
그러나 이 법칙은 점성을 무시할 수 있는 완전유체가 규칙적으로 흐르는 경우에만 적용할 수 있다.

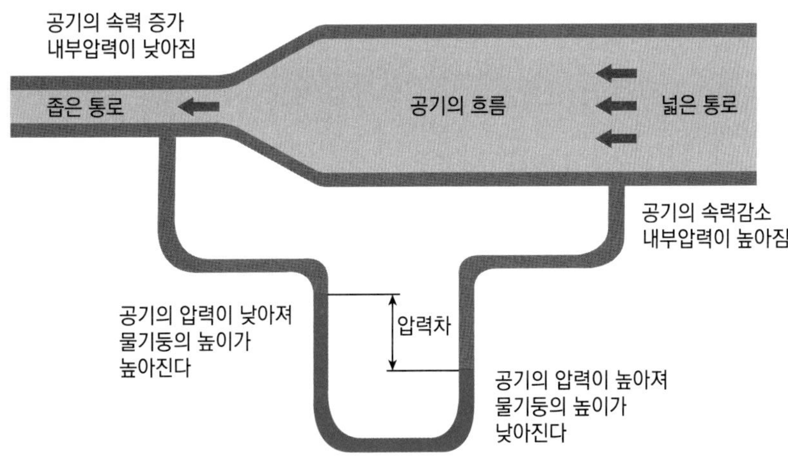

[베르누이 정리]

■ 베르누이 정리의 사례

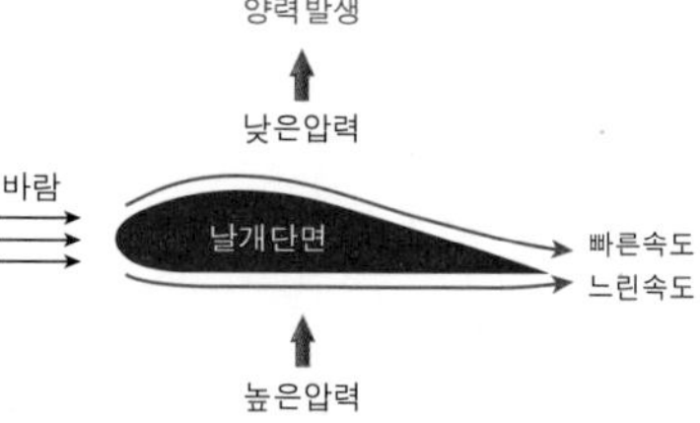

1. 비행기가 나는 원리는 비행기 날개 위쪽은 둥글게 하고 아래쪽은 수평으로 하면 공기의 이동 속도가 서로 다르게 되고 또한 날개 위아래의 압력차가 발생되어 비행기를 뜨게 하는 것이다.

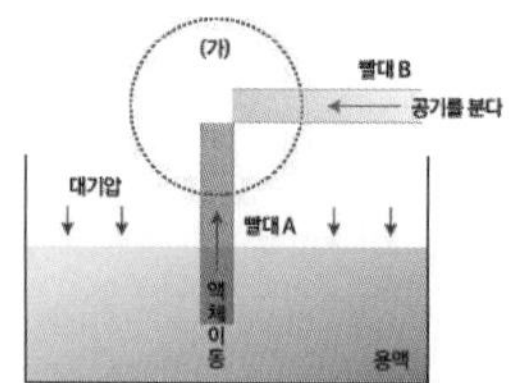

2. 분무기의 원리는 빨대를 불면 관 위 (가)의 공기가 빨라지게 되고 위쪽의 압력이 낮아진다. 따라서 아래 있는 물이 위로 딸려 올라오는 것이다.

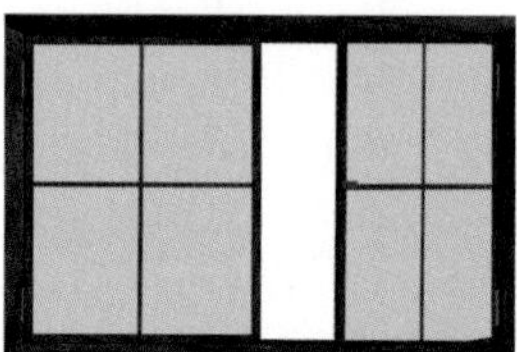

3. 바람이 많이 부는 날 창문이 살짝 열려 있으면 바람이 쌩쌩 소리를 내며 들어오는 것도 같은 원리이다.

4. 빨리 달리는 열차에 앉아서 창문을 열면 바깥의 넓은 공간에서 좁은 창문 통로를 지나면서 압력 차이가 생기고 속력이 증가하여 바람이 쌩쌩 빠르게 들어오는 것이다.

5. 지하철에서 열차가 지나갈 때 열차 쪽으로 바람이 부는 것도 마찬가지이다.

6. 수도꼭지에서 수돗물이 흘러내리면 중력에 의해 점점 속도가 증가하게 된다. 속도가 증가하면 물의 내부 압력이 감소하고, 아래로 떨어질수록 내부 압력과 외부 대기압 사이의 차이가 증가하게 되어 물줄기가 점점 가늘어지게 되는데 이처럼 수도꼭지에서 흐르는 물이 아래로 내려올수록 가늘어지는 것도 베르누이 원리로 설명할 수 있다.

과학 이론 적용

■ 비행기는 어떻게 나는 것일까요?

[비행의 네 가지 힘]

간단히 비행기가 나는 원리는 중력, 양력, 항력, 추력 네 가지 힘이 작용 한다. 비행기는 이상의 네 가지 힘이 조화를 이루어 일정한 속도로 수평비행을 하게 되는데, 양력의 크기를 조절하여 상승 및 하강비행을, 추력을 조절해서 가속 및 감속비행을 할 수 있게 되어 있다.
양력과 중력이 같고, 추력과 항력이 같을 때 글라이더는 하늘에 가만히 정지한 상태로 떠있을 수도 있는 것이다.

■ 조금 더 자세히 알아봅시다.

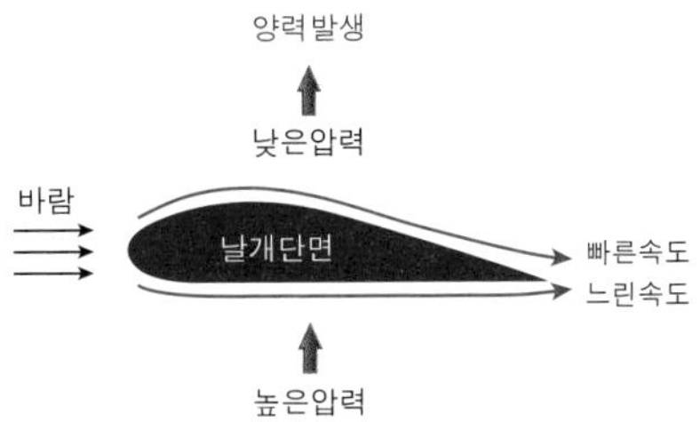

무거운 비행기가 어떻게 하늘을 날 수 있을까?
물론 제트 엔진이나 프로펠러 엔진이 부착되어 있으니까 그 추진력으로 나는 것이다. 하지만 어떻게 공중에 떠 있는 상태를 유지할 수 있는 것일까?
비행기가 하늘을 날게 하는 힘은 당연히 날개에 있다.
비행기 날개의 단면을 살펴보면 비행기의 날개는 위의 그림처럼 하부와 비교할 때 상부가 둥글게 되어 있다. 단순히 이것만으로 하늘을 날기 위한 힘(양력)을 얻을 수 있다.

그 이유는 상부를 따라 흐르는 공기의 속도는 하부를 따라 흐르는 공기의 속도와 비교할 때 상부 쪽이 둥글게 만들어져 있는 만큼 거리가 길어서 공기의 흐름이 빨라지기 때문이다. 공기뿐 아니라 흐르는 유체는 모두 빨리 흐르는 곳에서는 압력이 작아지고 느리게 흐르는 곳에서는 압력이 커진다.

즉, 날개 윗쪽의 공기의 흐름이 빠르다는 것은 압력이 작다는 뜻이고 아래쪽의 공기의 흐름이 느리다는 것은 압력이 크다는 뜻이기 때문에 날개는 압력이 작은 쪽으로 이끌려 위로 올라가는 힘(양력)이 발생하고 비행기는 그 힘으로 떠오를 수가 있는 것이다.

베르누이 정리

베르누이(Bernoulli)의 정리는 유체의 속력이 증가하면 유체 내부의 압력이 낮아지고, 반대로 속력이 감소하면 내부압력이 높아진다는 유체역학의 정리이다.

베르누이 정리는 유체가 흐르는 속도와 압력, 높이의 관계를 수량적으로 나타낸 법칙으로 유체에서 유체의 흐름선을 따라 측정할 때 에너지손실이 없다고 가정하면, 압력에너지+운동에너지+위치에너지=(어느 지점에서나)일정하다.

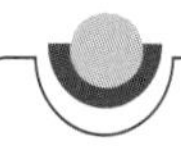

탁구공을 어떻게 해야 깔때기 속으로 빨아들일 수 있을까?

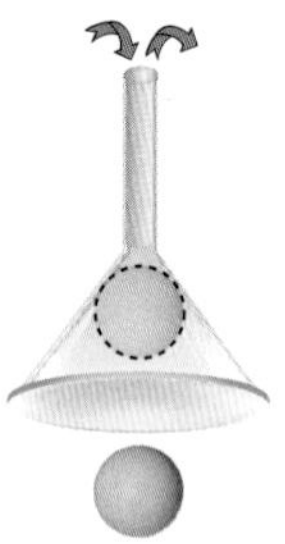

바닥의 탁구공을 깔때기 속으로 올리는 방법은 깔때기에 입을 대고 빨아들이는 것이 아니라 탁구공을 향해 불어야 탁구공이 위로 딸려 온다.

원인은 깔때기에 입을 대고 강하게 공기를 불면 좁은 관에서 공기가 통과하는 동안 공기의 속력이 빨라지고 관 속의 압력이 낮아지면 공기는 압력이 높은 곳에서 낮은 곳으로 이동하면서 탁구공이 빨려 올라오게 되는 것이다.

■ 심화 용어 정리

• **중력(weight)**	하중(비행기 자체의 무게)은 4개의 힘 중 가장 기본적인 힘이다. 하중이 적으면, 그만큼 추력이나 양력에 의한 힘에 대해 이득을 볼 수 있다.
• **양력(lift)**	무게가 가장 기본적인 힘이라면, 양력은 가장 중요한 힘이라고 할 수 있다. 무게와 양력은 항상 반대적 성질을 나타내며, 양력이 좋을수록 더 많은 무게를 들어 올릴 수 있다. 따라서 여객기나 수송기의 경우엔 날개를 상당히 크게 설계하여 양력이득을 최대로 한다.
• **추력(thrust)**	비행기를 움직이게 하는 원동력이다. 추력은 반드시 높을 필요는 없지만, 그렇다고 터무니없이 낮아선 안 된다. 보통, 여객기들에 비해, 전투기는 상당한 추력을 갖고 있다. 현대의 전투기들은 음속 이상의 속력을 낸다.(음속 : 약 340m/s)
• **항력(drag)**	추력과는 반대되는 개념. 공기의 마찰이라고 생각하면 된다. 이러한 공기마찰(항력)을 줄이기 위해 자동차들도 마찬가지이지만, 비행기들은 유선형의 몸통을 갖게 된다.

과학 이론 응용

■ 베르누이 정리의 사례를 적용하여 응용한 발명품 만들기

바람이 많이 부는 날 창문이 살짝 열려 있으면 쌩쌩 소리를 내며 바람이 들어온다.

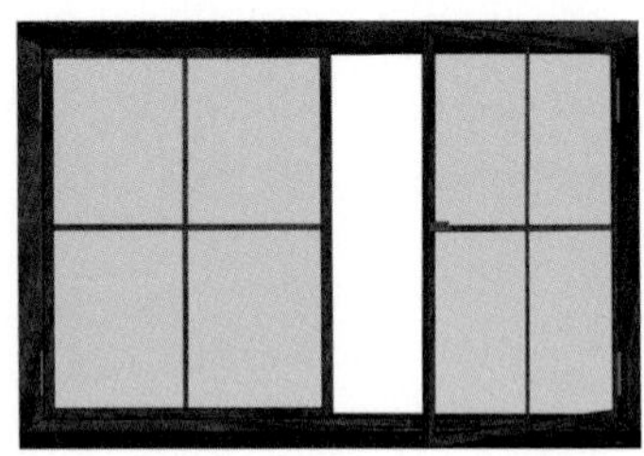

[사례의 발견] : 겨울철 음식점에서 음식의 냄새를 빼내기 위해 설치한 환풍기를 통해 바람이 역류하는 것을 종종 볼 수 있다.

■ 베르누이 정리와 용어 정리

- 베르누이 원리의 정의 : 베르누이 원리는 유체의 속력이 빠를수록 주변의 압력은 낮아지며, 느릴수록 주변의 압력이 높아지는 원리이다.
- 유체 : 고체에 비해 형상이 일정하지 않아 변형이 쉽고 자유로이 흐를 수 있는 액체, 기체, 플라즈마를 총칭하는 말이다. 유체유동의 현상에 대해 다루는 학문은 유체역학이라고 한다.

■ 형의 물이 왜 더 세게 나가는지?

■ 베르누이 정리를 이용한 [사례의 발견]에서 문제를 해결할 방안은?

[사례의 발견] : 겨울철 음식점에서 음식의 냄새를 빼내기 위해 설치한 환풍기를 통해 바람이 역류하는 것을 종종 볼 수 있다.

[사례의 해결] : 역류해 들어오는 바람을 역 이용한 베르누이 원리를 적용하여 문제 해결 방안을 마련해 보자.

베르누이 원리를 이용한 훨씬 효율적이고 강력한 환풍기

1. 제작 동기

갈비집을 운영하고 계시는 작은 아버지께서는 겨울철만 되면 근심 걱정이 있으십니다. 다름이 아니라 바람이 심하게 부는 겨울철에는 환풍구를 통해 밖의 차가운 공기가 먼지와 함께 가게 안으로 역류하여 들어와 환기도 잘 되지 않는 등 불편함이 이만저만이 아니라고 합니다. 또한 어렵게 덥혀 놓은 실내에 외부공기가 유입되어 온도가 쑥 떨어지게 되므로 난방비도 많이 든다고 하셨습니다. 그래서 어떻게 하면 환풍구로 들어오는 바람을 막으면서 쾌적한 식당 안의 공기를 유지할 수 있을까 생각을 하다가 본 발명품을 연구하게 되었습니다.

분석

- 문제점

  불을 사용하는 음식점에서 겨울철에 환풍기 쪽으로 역풍이 불어오면 연기가 역류되어 실내가 연기로 가득 찬다.

- 해결방안

  과학시간에 배운 과학적 원리인 베르누이 원리를 이용하여 해결해 본다.

2. 작품 요약

본 발명품은 겨울철에 팬 쪽으로 역풍이 불 때 팬의 앞에 큰 반구를 달아 정면의 바람은 와류로, 위에서 부는 바람은 팬 앞의 좁은 공간을 빨리 지나가게 하여 순간적으로 압력을 낮춰 실내의 탁한 공기를 잘 배출할 수 있게 한 "베르누이 환풍기"로 언제나 청정한 실내공기를 유지시켜 줍니다.

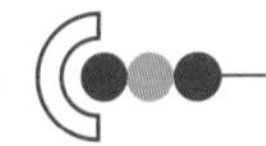

3. 작품 내용

TIP 베르누이 원리

유체의 속력이 증가하면 압력은 낮아진다.

비행기의 속도가 느리게 이동할 때	비행기의 속도가 빠르게 이동할 때 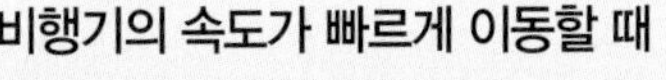
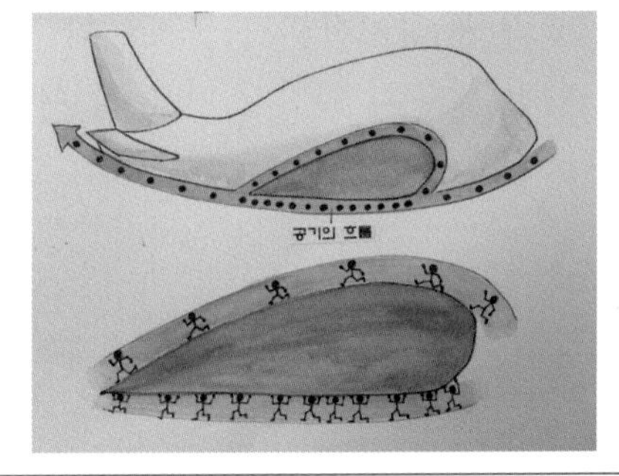	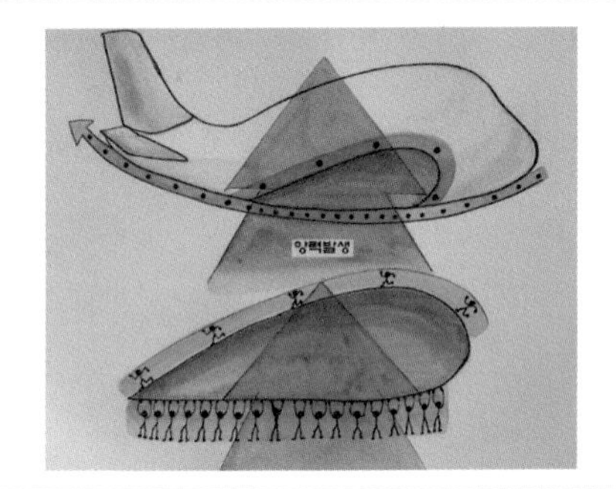

① 환풍기 앞에 플라스틱 공 1개와 스틸막대, 너트를 준비합니다.
② 플라스틱 공의 절반을 절단합니다.
③ 절단한 절반의 한 개를 다시 3/4을 잘라내고 테두리만을 활용합니다.
④ 스틸막대를 지지대로 하여 절반으로 자른 것은 밖으로 붙입니다.
⑤ 그리고 3/4을 잘라 낸 것은 발명품 쪽으로 달아 줍니다.
⑥ 3/4을 절단한 발명품과 절반으로 자른 공의 간격을 50㎜정도 두고 설치합니다.

1차 작품	베르누이 원리	베르누이 원리	2차 작품

4. 제작 결과

본 발명품을 만들어 보급한다면
첫째, 찬 공기가 실내로 들어오는 것을 차단할 수 있어 에너지를 절감할 수 있고
둘째, 배출된 연기가 역류되지 않아 항상 쾌적한 상태를 유지할 수 있고
셋째, 역류되는 연기와 찬 공기에 신경을 쓰지 않아도 되므로 정신건강에 좋고
넷째, 밖에서 불어오는 직접적인 바람을 막을 수 있어 실용적입니다.
다섯째, 밖에서 안으로 바람이 불어오면 앞에 설치한 공을 타고 휘도는 바람이 빠른 속도로 이동(베르누이 원리)해 실내의 연기가 더욱 잘 빠질 수 있게 됩니다.

■ 기존 발명품과 본 발명품의 비교

구 분	기존 발명품	본 발명품
경제성	겨울철에 바람이 역류함	겨울철에 바람이 역류를 하지 않게 되어 실내의 온도가 변하지 않아 난방비를 절약할 수 있음
창의성	외부의 바람이 못 들어오게 차단막만 있음	베르누이 원리를 이용하여 단순히 바람을 차단하는 것 말고도 훨씬 효율적이고 강력하게 내부의 공기를 외부로 배출
실용성	외부의 바람이 못 들어오게 차단막만 있음	발명품이 사용되는 어느 곳이든지 사용 가능하며, 실내를 쾌적하게 유지할 수 있음

생각 열기

■ 본 작품에 나타난 과학적 원리를 응용하여 새로운 작품을 구상해보자.

■ 구상한 작품을 도면으로 나타내 보자.

➔ 발명 교육은 왜 필요할까요?

「TRIZ의 기초」(권정휘 저)에서는 발명 교육의 필요성을 다음의 예를 들어 설명하였다. 한 아파트에서 두 아이가 20층에 살고 있다. 두 아이는 모두 키가 작아서 엘리베이터의 20층 버튼을 스스로 누를 수가 없다. 고민을 하던 한 아이는 최대한 힘껏 자신의 팔을 뻗어 15층을 누르고 5층은 계단을 통해서 걸어 올라갔다. 하지만 한 아이는 주변에서 벽돌을 주워다 놓고 그것을 딛고 20층을 누른 후 단번에 올라간다. 여기서 보면 두 아이 모두 문제를 만났지만 해결하는 방법이 전혀 다르다. 물론 두 번째 아이의 문제해결 능력이 뛰어나다고 할 수 있다. 하지만, 여기서 이런 가정을 해보자. 첫 번째 아이가 엘리베이터를 기다리고 있을 때 그 문 앞에 "벽돌을 이용해 보세요!"라는 문구가 적혀 있었다면 아마도 첫 번째 아이도 두 번째 아이와 마찬가지로 벽돌을 이용하여 문제를 해결하였을 것이다.

창의력이란 타고날 때부터 가지고 태어나기도 하지만 교육에 의해 만들어지는 것이 더 많다고 한다.

메이저리그의 야구선수 박찬호, 피카소, 베토벤, 아인슈타인 등이 우리와 같은 환경에서 학교를 다녔다면 과연 누가 1등을 하였을까? 제도권 학교에서 강조하는 영어, 수학을 잘 하는 학생만이 성공할 수 있는 것일까?

우리나라 굴지의 대기업 회장은 "공부를 잘하고 조직에 순응하는 모범생 위주의 기존 인력 채용 방식을 모두 바꾸라"고 특명을 내렸다고 한다. 이것은 각 분야에서 「끼」있는 인재를 뽑겠다는 것이 요체이다. 명문대 출신의 모범생보다는 차라리 「문제아」에 선발 기준을 두라는 주문이었다.

3 에너지 및 수송기술과 발명

도입

향후 10년 내 자동차 산업을 바꿀 혁신 기술

1. 레이저 헤드라이트[Laser Headlights]

   좀 더 밝은 불빛으로 멀리까지 빛을 비춰 줄 수 있고 더 적은 파워를 사용하는 레이저 헤드라이트는 자동차 산업을 바꿀 새로운 기술이다.

2. 생체 인식 기술[Biometric Vehicle Access]

   지문인식 기술로 시동을 거는 것은 머지않았고 홍채 인식이나 음성인식 기술로 자동차 시동을 걸 수 있는 것도 연구 중이다.

3. 외관이 변하는 자동차[Reconfigurable Body Panels]

   자동차 외관을 그때그때 운전자 기분에 따라 바꿀 수 있다.

4. 에어백 브레이크[Airbags That Help Stop Cars]

   차량 충돌 시 에어백이 프레임 내에서 부풀어 올라 사람은 물론 차량까지 보호하는 시스템이다.

5. 공 모양의 바퀴[Ball-Shaped Wheels]

   타원형의 바퀴를 공 모양의 바퀴로 만들어 주행 성능, 안전성 및 유지 보수비용 절감 효과가 기대되고 있다.

6. 대체 에너지 차량[Energy Storing Body Panels] 증가

7. 차량 커뮤니케이션 시스템[Car That Communicate with Each Other and Road]

네트워크 기술의 발달과 사물 인터넷의 확대로 운전자 시야에 보이지 않는 보행자를 알려주거나 주변 교통사고 현황을 실시간으로 알려주는 자동차이다.

8. 건강모니터링 시스템[Active Health Monitoring]

실시간 건강 모니터링 프로그램을 통해 운전자의 건강상태 확인할 수 있다.

9. 증강현실 상황판[Augmented Reality Dashboards]

차량 앞 유리창을 통해 실시간 교통상황을 반영한 길 안내 뿐만 아니라 주변 건물에 대한 설명까지 들을 수 있다.

10. 자율 주행[Self– Driving Cars]

[자료 : 구글 http://istore.tistory.com/506]

과학 배경 지식

1. 여러 가지 기계요소의 명칭과 용도

■ **뉴턴의 법칙**

갈릴레이(좌)의 피사의 사탑 전설을 묘사한 그림(우)

영국의 아이작 뉴턴은 사람들을 싫어했고, 괴상한 실험을 하거나 중력과 같은 것을 생각하면서 혼자 지내길 좋아했던 괴짜 과학자였으며 머리가 아주 좋았다. 그의 이론은 힘이 물체를 어떻게 움직이는지를 세 가지 법칙을 기본으로 정의하였다.

■ **운동 제1법칙**

우리가 버스를 탔을 때 갑작스럽게 출발하면 뒤로 몸이 쏠리는 것을 경험하였을 것이다. 이것은 바로 '운동 제1법칙'인 '관성의 법칙'이 작용하였기 때문이라고 할 수 있다.

운동 제1법칙이란 '외부의 힘이 밀거나 끌어당기지 않으면, 정지하고 있는 물체는 영원히 정지해 있으려하고 운동하고 있는 물체는 계속해서 움직이려 한다.'는 법칙이다.

■ **운동 제2법칙**

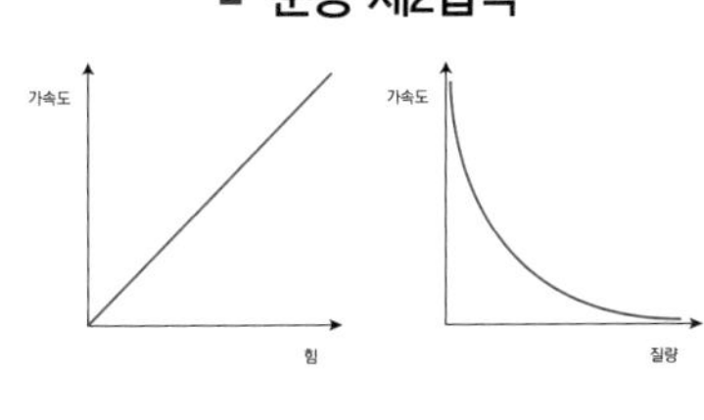

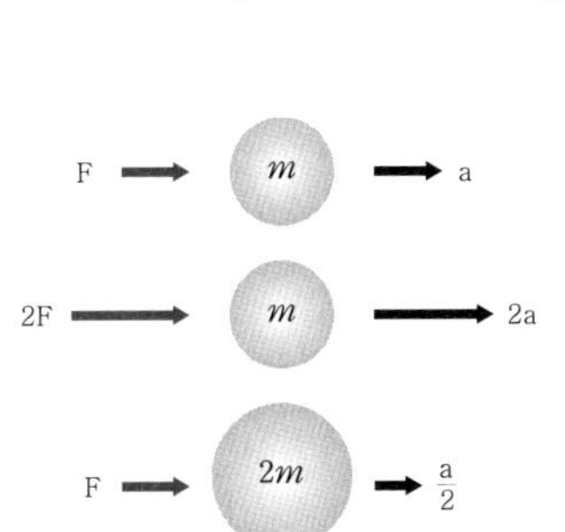

물체에 힘이 작용하면 힘의 방향으로 가속도가 생기며, 가속도의 크기는 작용한 힘의 크기에 비례하고 물체의 질량에 반비례한다. 이것을 '운동 제2법칙'인 '가속도의 법칙'이라고 한다. 가속도는 속도가 빨라지거나 느려지거나 운동방향이 바뀌는 것을 모두 이야기한다.

질량이 m인 물체에 힘 F가 작용할 때 생기는 가속도를 a라고 하면,

힘(F) = 질량(m) × 가속도(a)

■ 운동 제3법칙

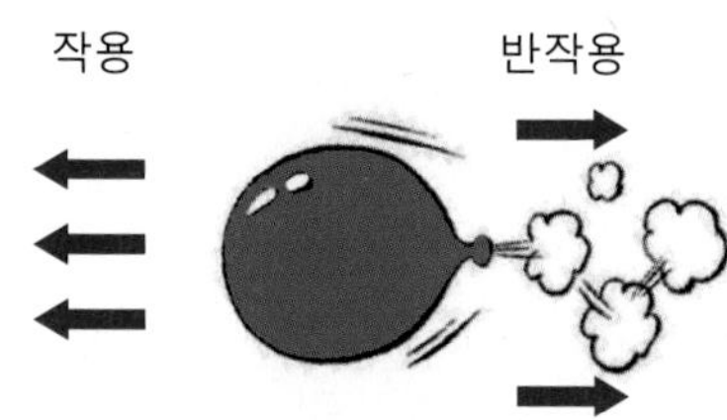

두 물체 사이에서 한 물체가 다른 물체에 힘을 가하면 동시에 두 물체 사이에서 작용과 반작용이 일어난다. 이때 작용과 반작용은 크기가 같고 방향은 반대이며, 동일 직선상에서 작용한다. 이것을 '운동 제 3법칙'이라 하고, '작용 반작용 법칙'이라고도 한다.
이것은 건물의 벽을 밀면 민 사람이 밀린다던가, 이불을 막대로 때리면 이불에 묻어 있던 먼지가 떨어지는 현상, 그림처럼 로켓이 땅을 밀치고 날아가는 것, 다이빙을 하기 위해 땅을 밀면 사람이 밀리는 현상 등이 있다.

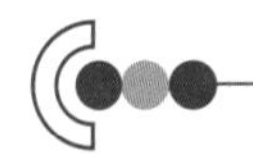

2. 자동차 동력

자동차는 엔진 속 실린더에서 RPM(revolutions per minute, 분당 회전수)이 폭발하는 힘으로 움직인다. 에너지가 방출되는 속도를 동력이라 하고 동력의 단위는 마력(horsepower)을 사용한다. 1마력이라면 말 1마리가 수레를 끄는 힘과 같다.

마력이란 말은 누가?

마력이란 말은 스코틀랜드 공학자이자 과학자인 제임스 와트가 처음 사용한 말이다. 증기기관을 만든 와트는 말(horse)을 사용하던 사람들에게 증기기관을 팔려고 했기 때문에 동력을 말의 힘과 비교해서 설명했다.

마력의 계산법 : 와트는 광산의 수직 갱도에서 1분에 석탄 220파운드를 100피트(분당 22,000파운드·피트)만큼 끌어 올릴 수 있는 조랑말의 힘을 기준으로 삼았다. 그러고는 말은 조랑말보다 힘이 50퍼센트쯤 더 셀 것이라고 추정하고는 (이것이 실수), 분당 33,000피트를 1마력으로 정했다. 실제로 말은 조랑말보다 석탄을 그렇게 많이 끌진 못한다. 실제로 말이 지닌 힘은 0.7마력 정도에 그친다. 다행히도 오늘날의 과학자들은 동력이나 일률을 측정하는 단위로 와트(watt, 기호W)를 사용한다. 누구 이름을 딴 건지는 말하지 않아도 알듯하다.

[출처 : 자동차의 과학, 18P, 을파소]

3. 자동차의 안전사고

1) 문제의 인식

급가속 페달 사고로 안전 운전이 위협을 받고 있다.
우리나라는 엄청난 예산을 쏟으면서도 세계 1위의 자동차 사고 국가라는 불명예에서 쉽게 헤어나지 못하고 있다. 과실로 인한 사고들을 조금 더 줄일 수 있는 방법은 없을까?
그 중에서도 운전 초보자들이 당황해 브레이크를 밟는다는 것이 액설레이터를 밟아 대형 사고를 일으키는 경우가 종종 있다. 기계요소를 활용해 사고를 줄일 수는 없을까?

4. 문제 해결

자동차 페달과 탄성장치를 접합해 해결 방안을 연구해 보자.
다음에 나오는 발명품은 탄성체(용수철을 이용한 쇼바)를 활용한 발명품이다.

급가속 방지 안전장치

1. 제작 동기

간혹가다 방송에서 급가속 페달을 밟아 귀중한 생명을 잃었다는 보도를 접합니다. 초보 운전자인 초등학교 선생님께서 브레이크 페달을 밟는다고 급히 밟은 것이 가속페달을 밟아 대형 사고를 일으켜 귀중한 제자의 목숨을 앗아갔다는 뉴스를 접하고 본 발명품에 관심을 갖고 작품을 만들게 되었습니다.

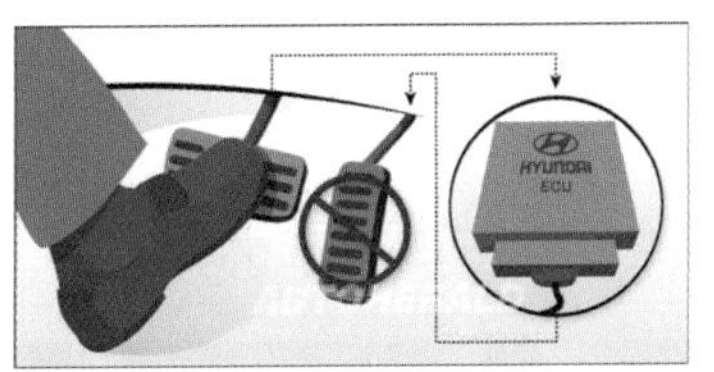

■ 문제점

경험 부족으로 브레이크를 밟는다는 것이 급가속장치인 가속페달을 밟아 사고를 내는 경우가 종종 있다.

■ 해결방안

초보자가 급가속을 했을 때도 서서히 급가속이 되게 한다.

2. 작품 요약

가. 자동차의 가속 페달(엑셀레이터)에 에어 쇼바(충격 흡수기)를 달아 급가속이 되는 것을 방지할 수 있게 하였습니다.

나. 에어 쇼바(충격 흡수기) 끝 부분에 작은 구멍을 내어 가속 페달을 밟으면 서서히 에어가 빠지면서(주사기의 원리) 가속 페달이 작동하므로 급가속이 되는 것을 막아 초보 운전자의 안전 운전을 돕게 만들었습니다.

다. 자동차 운전이 익숙해지면 에어 쇼바(충격 흡수기)의 구멍을 확대시켜 기존의 자동차와 같게 만들어 급가속을 필요로 하는 곳에서 급가속을 할 수 있게 제작하였습니다.

3. 작품 내용

가. 초보 운전을 하는 분이 급히 브레이크를 밟다가 실수로 가속페달을 밟아도 급가속이 되지 않고 서서히 가속이 되어 큰 사고를 미연에 막을 수 있도록 하였습니다.

나. 운전 수준에 따라 에어 쇼바의 작동 상태를 조절할 수 있어 능숙하게 되면 일반 자동차와 동등하게 급가속이 가능하도록 하였습니다.

다. 본 에어 쇼바를 장착하면 급가속이 이루어지지 않아 연료의 낭비를 줄일 수 있어 경제적인 발명품이라 생각합니다.

발명품 모습	급가속 안전장치	안전장치 부품	안전장치 부품

4. 제작 결과

가. 초보 운전자들이 브레이크를 밟는다는 것이 가속페달을 밟아 큰 사고를 일으키던 것을 없앨 수 있는 획기적인 발명품입니다.

나. 가속 페달을 세게 밟아도 급가속이 이루어지지 않아 기름의 낭비를 줄일 수 있는 경제적인 발명품이라 생각합니다.

다. 운전이 능숙해지면 밸브를 조절하여 일반 자동차와 똑같이 사용할 수 있게 하였습니다.

생각 열기

- 본 작품에 나타난 과학적 원리를 응용하여 새로운 작품을 구상해보자.

- 구상한 작품을 도면으로 나타내 보자.

옷이 끼지 않는 자동차 안전문

1. 제작 동기

'위기탈출 넘버원' 이라는 TV프로에서 아이들의 옷이 자동차 문에 끼는 사고로 생명을 잃을 수도 있다는 사례를 보고 어떻게 하면 옷이 끼지 않게 할 수 있을까, 또 자동차 문에 옷이 낀 경우 어떻게 하면 쉽게 뺄 수 있을까 생각을 하다가 본 발명품을 만들게 되었습니다.

- 문제점

  유치원이나 초등학교 학생들의 옷이 통학 버스에 끼었는데 기사님들이 그 사실을 모르고 운전을 하다가 어린이들이 다치는 사고가 난다.

- 해결방안

  자동차에 옷이 끼면 운전자가 알 수 있는 장치를 달아 운전자의 주의를 환기 시킨다.

2. 작품 요약

자동차 문에 롤러를 달아 옷이 꼈을 때 당기면 롤러가 돌면서 옷이 빠질 수 있도록 만들었습니다.

3. 작품 내용

가. 플라스틱 재질로 만들어진 얇은 필름을 구입하여 한 면에 접착제를 발라 도마에 착탈이 가능하게 만듭니다.

나. 기존에 사용하던 낡은 도마 위에 본 재료를 부착하여 새롭게 사용합니다.

4. 제작 결과

가. 어린이나 노약자들의 옷이 자동차 문에 끼어 일어날 수 있는 인명사고를 미연에 방지할 수 있습니다.

나. 운전자도 안전 운행에 도움이 됩니다.

다. 옷의 찢김 현상을 막을 수 있습니다.

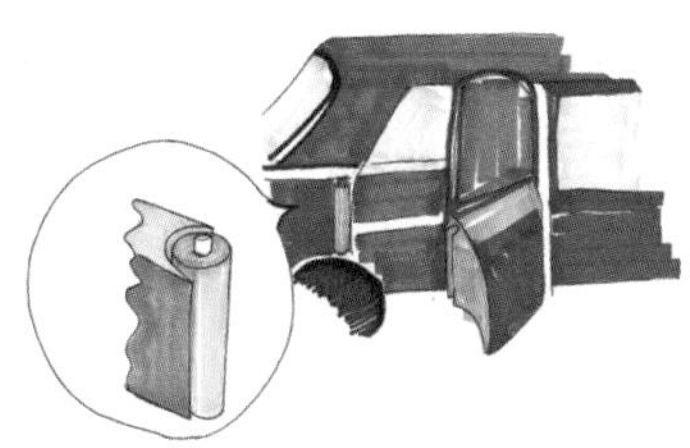

[발명품 도면]

생각 열기

■ 본 작품에 나타난 과학적 원리를 응용하여 새로운 작품을 구상해보자.

■ 구상한 작품을 도면으로 나타내 보자.

자동차 측면 라이트

1. 제작 동기

밤에 골목길이나 좁은 농로를 가면서 커브를 돌 때 돌출물에 차가 긁히거나 수렁에 바퀴가 빠지게 된다는 아버지의 말씀을 듣고 좋은 해결 방법이 없을까 고민하다 본 발명품을 만들게 되었습니다.

■ 문제점

어두운 밤길에 좁은 시골길을 가면서 커브를 돌 때 측면의 길이 보이지 않아 수렁에 빠지는 어려움을 겪는 일이 발생할 수 있다.

■ 해결방안

자동차 측면에 라이트를 달아 야간에도 측면의 길도 볼 수 있게 한다.

2. 작품 요약

어두운 밤에 좁은 커브길이나 시골길 또는 농로에서 커브를 돌 때 측면의 바퀴 상황을 알 수가 없어 어려움이 많았으나 본 발명품은 백미러(후사경)에 라이트를 달고 좌우로 움직일 수 있게 만들어 원하는 곳을 비추며, 바퀴와 측면을 보면서 안전하게 운전할 수 있게 만든 발명품입니다.

3. 작품 내용

가. 자동차를 준비합니다.

나. 자동차 백미러(후사경) 후면에 라이트를 답니다.

다. 백미러 뒤에 붙인 라이트를 자유롭게 움직일 수 있도록 하였습니다.

1차 작품	입체적인 모습	정면도	측면도
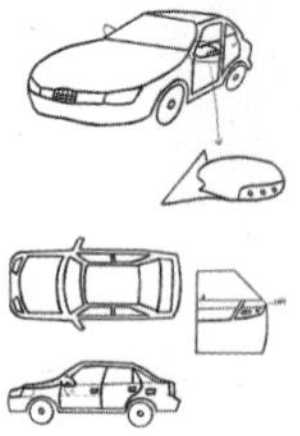			

4. 제작 결과

가. 종전에 없던 측면 라이트를 설치하여 측면의 상황을 정확하게 파악할 수 있어 농로나 시골의 좁은 골목길에서 일어날 수 있는 사고를 미연에 방지할 수 있는 경제적인 발명품입니다.

나. 시골의 농로나 좁은 도로 주행 시 측면에 보이지 않는 두려움을 해소함은 물론 측면에서의 작업도 용이하게 할 수 있어 창의적인 발명품이라 생각합니다.

다. 본 발명품은 모든 차에 적용이 가능하고 사용이 편리해 실용적이라 할 수 있습니다.

■ 기존 발명품과 본 발명품의 비교

구 분	기존 발명품	본 발명품
창의성	바퀴의 상태를 알 수 없음	어두운 밤에 측면을 자유롭게 볼 수 있게 하여 운전하는데 편리하다.
실용성	비교대상 없음	기존 자동차의 백미러에 부착하여 활용할 수 있어 실용적이다.
경제성	안전사고에 문제가 있음	사고로 이어질 수 있는 문제들을 미연에 방지할 수 있어 경제적이다.
안전성	시골의 논길이나 시골길에서 측면이 보이지 않아 위험하다.	어두운 밤에 논길이나 시골길에서 운전할 때 확인하며 운전할 수 있어 안전하다.
기 타	비교 대상 없음	기존의 백미러(후사경)에 설치할 수 있어 차의 외형에 변함이 없다.

생각 열기

■ 본 작품에 나타난 과학적 원리를 응용하여 새로운 작품을 구상해보자.

■ 구상한 작품을 도면으로 나타내 보자.

4 전기의 발전과 이용

도입

전류와 전기저항, 전기회로의 마법

우리 가정에서 사용하는 전등, 다리미, 청소기, 세탁기, 냉장고 등 여러 가지 전기 기구들에 전류가 흐르면 빛과 열을 내거나 기계적인 일을 할 수 있다. 이와 같이 전기 기구들은 전기를 이용하여 다양한 기능을 할 수 있는데, 전기가 가지고 있는 이런 능력을 전기 에너지라고 한다.

이런 전기에너지를 일상생활에 여러 가지로 이용하여 편리한 생활을 하고 있다. 만일 갑자기 전기가 끊긴다면 어떤 일이 일어날까?

정전이 되어 전류의 공급이 되지 않으면 우리는 문화생활을 전혀 할 수 없어 많은 불편함이 있을 것이다. 이렇듯 전기는 우리 생활에서 없어서는 안 될 중요하고 귀중한 에너지임을 분명히 알 수 있다.

이러한 전기에너지는 전기회로를 통하여 저항체의 각 부분으로 공급이 되는데 회로에서 전류를 흐르게 하는 원인을 알아보고, 회로를 구성하는 요소들과 그들의 역할에 대해 알아보자.

과학 배경 지식

1. 자기장과 자기력선

자석사이에 자기력이 작용하듯이 전류가 흐르는 도선 사이에도 자기력이 작용한다.

가. 자기장

■ 자기장

자석 근처의 공간과 같이 자기력이 작용하는 공간을 자기장이라 한다.

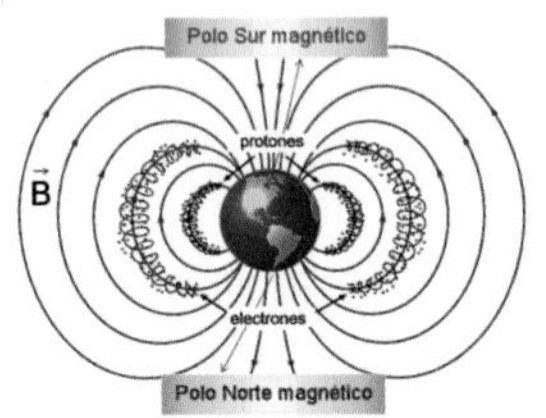

■ 자기장의 방향

한 점에 나침반을 놓았을 때 N극이 가리키는 방향을 자기장의 방향이라 한다.

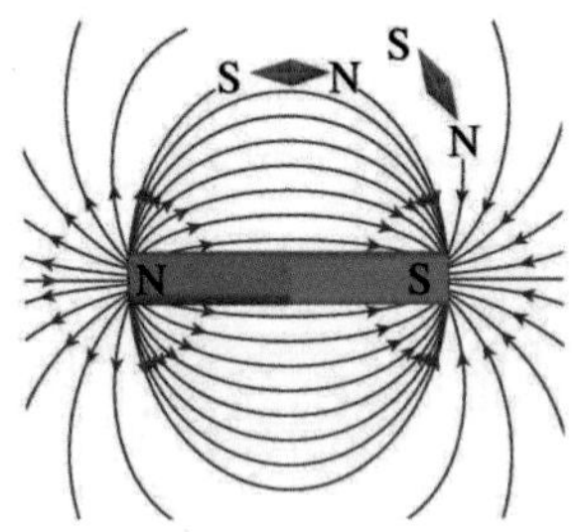

■ 자기장의 세기

자기력의 세기에 비례한다.

나. 자기력선

■ 자기력선

어떤 공간에 나침반을 놓았을 때 N극이 가리키는 방향을 이은 선으로 자기장의 모습을 보여준다.

■ 자기력선과 자기장

- 자기장의 방향 : 자기력선 상의 한 점에서 자기장의 방향은 그 점에서 그은 접선의 방향과 같다.
- 자기장의 세기 : 자기력선의 간격이 좁을수록 자기장이 센 곳이다.

2. 전류에 의한 자기장

가. 직선전류에 의한 자기장

■ 자기장의 모양

직선도선 근처에는 도선을 중심으로 동심원 모양의 자기장이 형성된다.

막대 자석 주위의 자기장　　직선 도선 주위의 자기장　　코일 주위의 자기장

■ 자기장의 방향(앙페르의 오른손법칙)

직선도선에 의한 자기장의 방향은 직선도선에 흐르는 전류의 방향으로 엄지손가락을 향하게 할 때 나머지 네 손가락이 감아 도는 방향이 자기장의 방향이 된다.

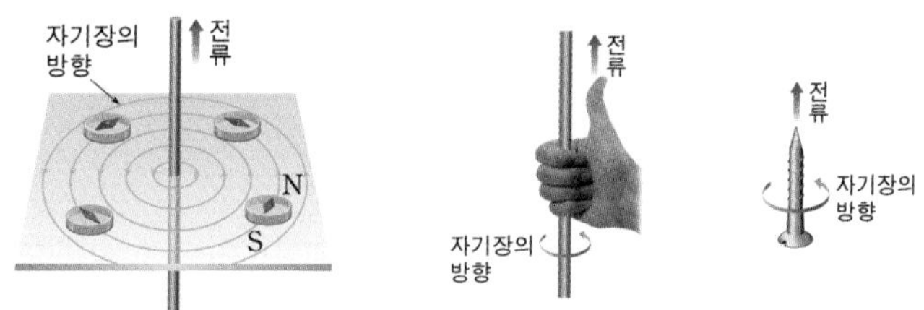

■ 자기장의 세기

도선으로부터의 거리에 반비례하며 도선에 흐르는 전류에 비례한다.

3. 전류가 자기장 속에서 받는 힘

자기장 속에서 전류가 흐르는 도선은 힘을 받는데 이를 전자기력이라 한다.

가. 플레밍의 왼손법칙

■ 전자기력의 방향

전류가 흐르고 있는 도선에 대해 자기장이 미치는 힘의 작용방향을 정하는 법칙이다.

왼손 검지의 방향은 자기장의 방향(B), 중지의 방향은 전류의 방향(I), 엄지의 방향은 힘의 방향(F)으로 자기장과 전류의 방향 , 힘의 방향이 수직일 때 작용한다.

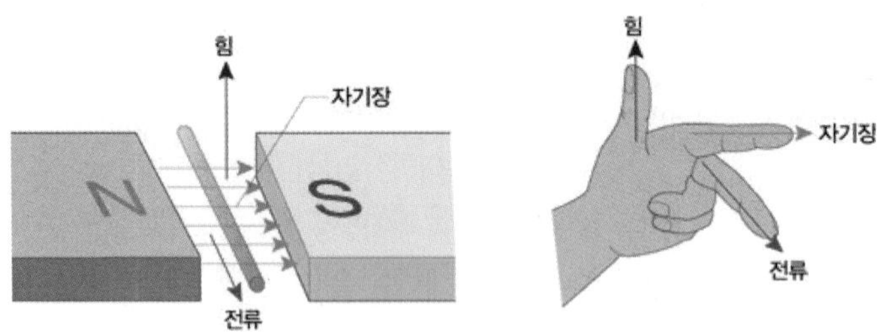

■ 전자기력의 크기

전자기력의 크기는 자기장의 세기에 비례하고 전류의 세기와 도선의 길이에 비례한다.

- 자기력과 전류의 방향이 직각일 때
  $F = B\,I\,L$
- 자기력과 전류의 방향이 θ 일 때
  $F = B\,I\,L \sin\theta$

힘은 (F), 자기장은 (B), 전류는 (I)로 나타내므로 엄지로부터 세 손가락을 기호로 나타내면 F B I가 되어 검지와 중지를 각각 자기장과 전류의 방향에 일치시키면 힘의 방향(엄지의 방향)을 알 수 있다. 만약 자기장과 전류의 방향이 같다면 그때 전자기력은 0이 된다.

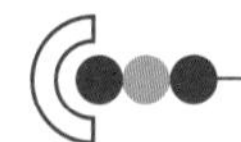

➔ 흐르는 수돗물이 아까워요. 흐르는 물로 발전을 . . .

1. 제작 동기

역학에서 흐르는 물체는 에너지를 갖고 있다고 했는데 목욕탕에서 계속적으로 쏟아내는 물이나 제철소에서 사용하는 물을 잘 이용하면 많은 전기 에너지를 생산할 수 있을 것이란 생각이 들어 본 발명품을 만들게 되었습니다.

분석

- 문제점

  세탁이나 세수를 하면서 많은 물들을 낭비하고 있다.

- 해결방안

  낭비하는 물을 활용하여 발전장치를 만들어 본다.

2. 작품 요약

흐르는 수돗물은 항상 아깝게 그냥 흘러가버리는데 이 물에 수차를 연결하여 발전을 하는 발명품입니다.

3. 작품 내용

TIP 작품에 적용한 과학적 원리

수력 발전은 수력을 이용하여 전력을 생산하는 일이다. 수력 발전으로 얻은 전기를 수력 전기라고 한다. 현재 가장 널리 쓰이는 재생 가능한 에너지이며, 점점 의존도가 증가하고 있다.

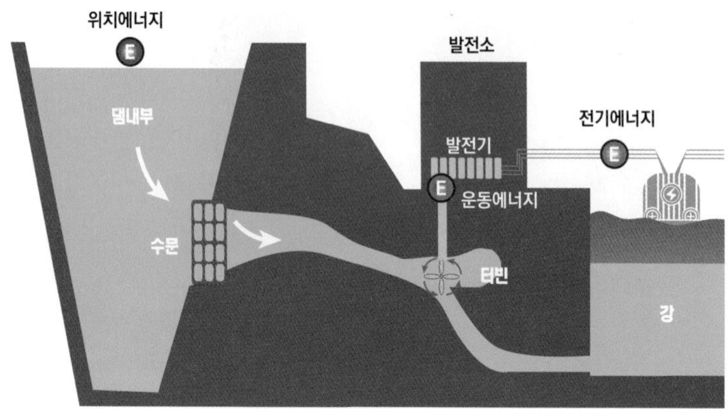

가. 수도관 중간에 발전기를 달아 발전을 할 수 있게 하였습니다.

나. 저항을 최소화하기 위해 수차의 고정축을 만들지 않았으며 수차를 회전시키고 흐르는 물이 수차의 날개에 저항을 적게 주도록 수차 통 내부에 물길(水路)을 따로 만들었습니다.

다. 수차와 발전기를 분리하여 물이 더럽게 오염되는 것을 피할 수 있도록 하였습니다.

발명품 모습	발명품 핵심부품	발명품 모습

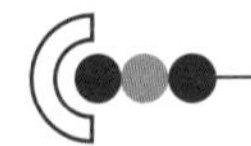

4. 제작 결과

물을 계속적으로 사용하고 있는 공업용수(제철소)나 생활용수(목욕탕)로 사용되는 물들을 이용하여 자가 발전을 하면 에너지가 부족한 우리나라 산업에 큰 보탬이 될 것으로 확신합니다.

가. 만약 제철소에 본 발명품을 설치한다면 철강을 냉각시키기 위해 소비하는 물이 엄청난 만큼 많은 발전을 할 수 있을 것으로 생각됩니다.

나. 대중목욕탕에서 사용하는 물로 발전을 해 목욕탕 내부의 전등을 켤 수가 있습니다.

다. 본 작품은 산업이나 산업용수로 사용하는 물을 이용하여 발전을 하는 것이므로 자연 친화적이고 산업에 이용할 수도 있어 국가 경쟁력을 키우는 데도 도움이 될 것으로 믿습니다.

■ 기존 발명품과 본 발명품의 비교

구 분	기존 발명품	본 발명품
경제성	비교 대상 없음	흐르는 물의 운동에너지를 버리지 않고 발전을 하여 경제적입니다.
창의성	비교 대상 없음	흐르는 물을 이용한 발전으로 새롭고 창의적입니다.
실용성	비교 대상 없음	흐르는 물이 이용되는 다양한 장소인 공장, 시냇물 등 여러 장소에서 이용될 수 있습니다.

생각 열기

■ 본 작품에 나타난 과학적 원리를 응용하여 새로운 작품을 구상해보자.

■ 구상한 작품을 도면으로 나타내 보자.

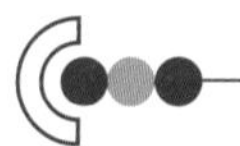

증기기관을 이용한 발전 장치

1. 제작 동기

과학, 기술, 사회시간 등에서 산업혁명의 원동력이 되었던 증기기관에 대해 배우면서, 증기로 기계가 움직일 수 있다는 것에 대해 궁금증을 갖게 되었습니다. 그런데 집에 와서 보니 주전자의 물이 끓으면서 주전자 뚜껑이 들썩이며 움직이고 있는 모습을 보게 되었습니다. 그래서 이 원리를 이용하여 증기로 움직이는 기관을 만들게 되었습니다.

분석

■ 문제점

동력의 발전 단계에서 나타나는 증기기관을 직접 확인하고 체험하는 과정의 개발이 필요하다.

■ 해결방안

학생들이 증기기관을 직접 실험할 수 있는 장치를 개발한다.

2. 작품 요약

TIP 작품에 적용한 과학적 원리

외연기관으로, 수증기의 열에너지를 기계적인 일로 바꾸는 장치이다.

증기의 원리를 이용하여 터빈을 돌려 발전하는 과정을 보여 줌으로써 에너지의 변화, 에너지기관, 기계의 원리, 발전의 원리 등을 한 눈으로 확인하면서 학습할 수 있게 만든 학습 자료입니다.

3. 작품 내용

가. 먼저 증기가 새지 않는 물통을 제작합니다.

나. 물통을 가열할 수 있게 알코올램프를 준비합니다.

다. 증기로 돌릴 수 있는 터빈을 준비합니다.

라. 물통에서 발생된 증기로 터빈을 돌려 발전을 하고 그 전기로 발광다이오드에 불이 들어오게 하였습니다.

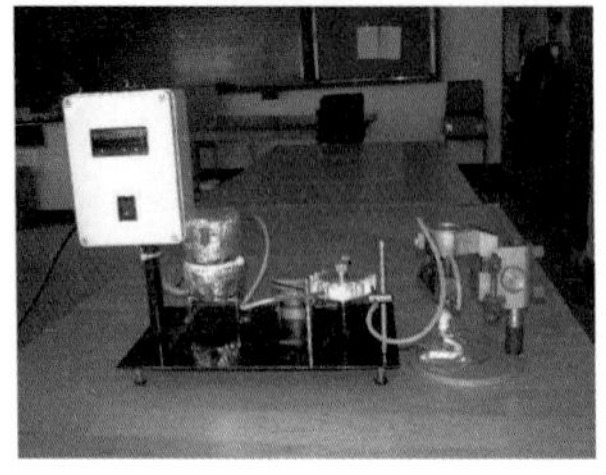

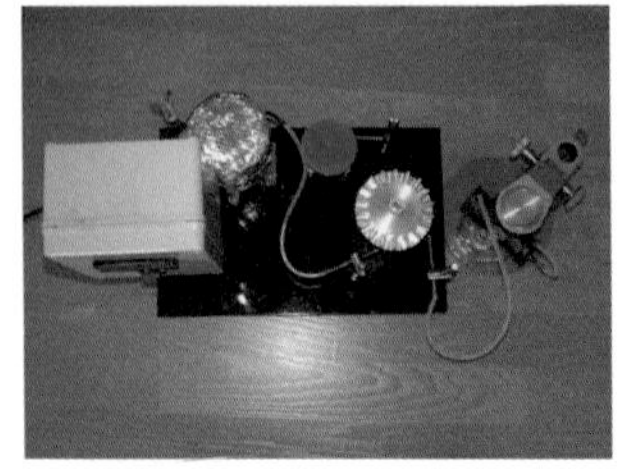

4. 제작 결과

가. 증기기관의 원리를 직접 실험으로 알 수 있어서 학습효과를 높일 수 있습니다.

나. 간단한 제작과 실험으로 열에너지가 운동에너지로, 다시 전기 에너지로 바뀌는 과정을 알 수 있습니다.

다. 기계의 원리와 발전 장치를 이해할 수 있어 학습효과가 높습니다.

라. 본 발명품을 통하여 증기기관은 물론 외연기관, 에너지의 변화, 기계의 원리, 발전 장치 등을 다양하게 학습할 수 있어 많은 학습 효과가 있을 것으로 생각합니다.

■ 기존 발명품과 본 발명품의 비교

구 분	기존 발명품	본 발명품
경제성	비교대상 없음	소형이고 적은 비용으로 구입하여 사용할 수 있어 경제적이다.
창의성	비교대상 없음	학교에 있는 교구재들을 조합하였고, 발광다이오드를 통하여 전기가 생산되는 것까지 설명할 수 있는 발명품이다.
실용성	비교대상 없음	소형이므로 학교에서 비치가 가능하여 학생들에게 증기기관을 정확히 설명하는데 도움이 될 것이다.

구 분	기존 발명품	본 발명품
경제성	비교대상 없음	전자부품의 분실이 파손을 줄여주어 경제적이다.
창의성	비교대상 없음	각각의 부품들을 교체할 수 있는 고정장치를 개발하여 전기의 각 원리를 쉽게 배울 수 있다.
실용성	비교대상 없음	부품들을 교체할 수 있으므로 다양한 전기 부품을 측정하고 실험할 수 있는 실용적인 발명품이다.

생각 열기

■ 본 작품에 나타난 과학적 원리를 응용하여 새로운 작품을 구상해보자.

■ 구상한 작품을 도면으로 나타내 보자.

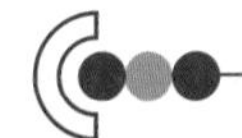

위조지폐 감별 금고

1. 제작 동기

최근 5만 원권 고액 화폐가 등장하면서 사람들 사이에 위조지폐가 많은 문제와 이슈를 낳고 있습니다. 이런 위조지폐는 국가 경제를 위험하게 만들 뿐만 아니라 사람들이 믿고 신뢰하는 사회를 망치는 주범이므로 해결책을 고민하던 끝에 본 발명품을 만들게 되었습니다.

분석

- 문제점

  고액 화폐가 유통되면서 많은 위폐들을 사용하는 범죄가 발생한다.

- 해결방안

  지폐를 돈 통에 넣는 순간 진폐와 위폐를 구분할 수 있게 한다.

2. 작품 요약

금고의 안쪽에 자외선램프를 설치하여 자외선이 화폐에 반사되는 것을 감지하고 위조지폐를 감별하는 발명품입니다.

TIP 위조지폐의 감별 기술

외연기관으로, 수증기의 열에너지를 기계적인 일로 바꾸는 장치이다.

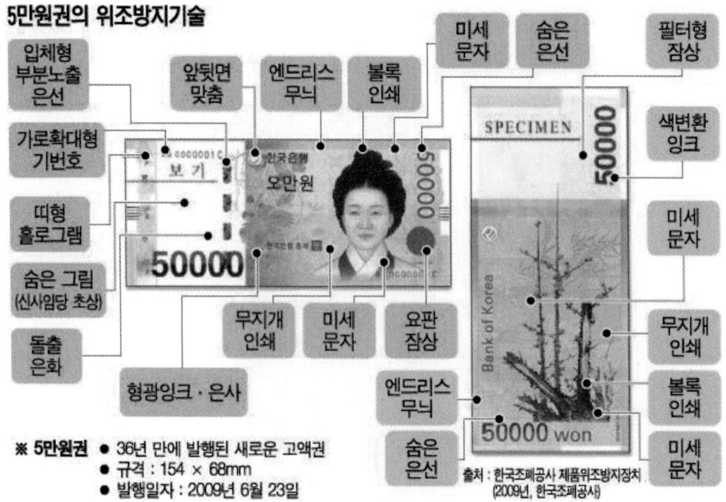

3. 작품 내용

가. 금고를 준비합니다.

나. 금고안쪽에 자외선램프를 설치합니다.

다. 금고 안쪽에 지폐에 반사된 자외선을 감지하는 감지장치를 설치합니다.

라. 반사되는 자외선의 결과에 따라 금고에서 알람이 울리도록 합니다.

금고	발명품 열린 모습	발명품 열린 모습	발명품
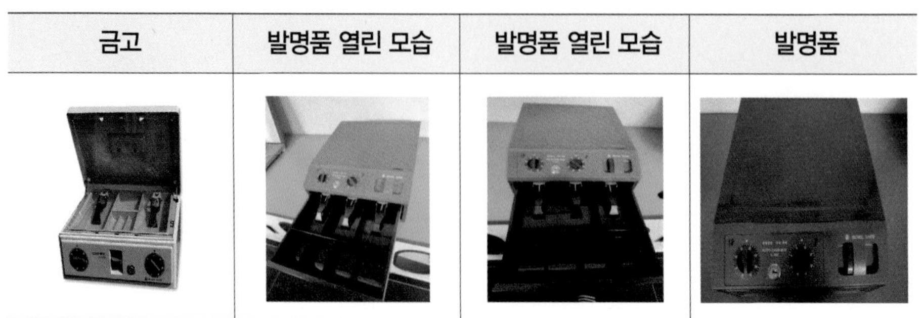			

4. 제작 결과

가. 위조지폐를 감별하게 되어 금전적인 불이익을 당하지 않게 됩니다.

나. 서로 믿고 돈을 주고받을 수 있는 신용이 살아 있는 사회를 만듭니다.

다. 위조지폐가 통용되지 못하도록 하여 추가 범죄의 발생을 막아 줍니다.

■ 기존 발명품과 본 발명품의 비교

구 분	기존 발명품	본 발명품
경제성	비교대상 없음	위조지폐를 이용한 금전적인 불이익을 당하지 않아 경제적이다.
창의성	비교대상 없음	자외선램프의 반사율에 따라 위폐를 가려내는 새로운 발명품이다.
실용성	비교대상 없음	자외선램프를 설치하는 비용이 크게 들지 않으므로 실용적인 제품이다.

생각 열기

■ 본 작품에 나타난 과학적 원리를 응용하여 새로운 작품을 구상해보자.

■ 구상한 작품을 도면으로 나타내 보자.

5 힘의 종류와 이용

도입

칠레 광산 사고 인명 구조를

2010년 8월 칠레 광산사고 때 매몰된 광부 33명 전원을 구조하는데 결정적 기여를 한 굴착기용 공압 해머는 국내 중소기업 제품이었다.

지반 굴착 중 나오는 암석 부스러기를 지상으로 배출해주는 굴착기에 장착되는 굴착용 공압 해머는 공기 힘으로 내부의 피스톤을 상·하 운동시켜 하단부의 드릴 비트를 타격해 주는 것으로 건설 기초공사와 터널공사, 지하수, 온천수, 가스·석유 시추, 신재생에너지인 지열 개발 등 굴착을 위한 모든 장비에 전천후로 사용된다.

15일 특허청에 따르면 2001~2010년 굴착기용 공압 해머 관련기술 특허출원 건수는 모두 108건에 이른다. 최근 4년간(2007~2010년)은 연 평균 14건으로 꾸준한 증가세를 보이고 있다.

굴착방법에 따른 특허출원 유형은 비트에 가해지는 충격으로 암석을 파쇄, 천공하는 충격식이 79건(73%), 케이싱 파이프 끝에 다이아몬드나 초경합금을 끼워 넣어 비트를 회전시켜 구멍을 뚫는 회전식이 29건(27%)이다.

출원인 별로는 내국인 출원이 100건(93%)으로 대부분을 차지했고, 외국인 출원은 7%에 불과했다.

내국인 중에는 ㈜신성산업이 22건(20%)으로 가장 많았고 12건을 출원한 ㈜탑드릴이 그 뒤를 이었다.

칠레 광부 구조에 한국의 신성산업의 기술이 있었다.

15일 코트라(KOTRA) 오사카 코리아비즈니스센터(KBC)에 따르면, 애초 4개월이 걸릴 것으로 예상됐던 구조작업을 7주 만에 마무리하는데 큰 도움을 준 센터록사의 LP드릴 핵심부품인 CR-120은 신성산업(대표 임병덕)의 제품이라고 한다.

해머는 굴착속도가 품질을 좌우하는데 신성산업의 제품은 경쟁 제품보다 20~30% 속도가 빨라 이번에 칠레 광부 구조에서 시간을 단축하는 데 핵심 역할을 한 것으로 전해졌다.

오사카 KBC에 따르면, 신성산업은 미국 센터록의 기술 및 제품 개발 매니저인 루디 라이언 씨로부터 "이번에 사용된 굴착기에 신성에서 만든 제품이 사용됐으며, 이것은 신성도 자랑스러워할 만하다"라는 이메일을 받았다.

이번 칠레의 광부구조는 세계적인 관심 속에 진행되었다

그 중심에 대한민국이 있었다니 정말 대단하지 않은가? 우리의 기술력이 이제 세계를 주도할 날도 머지않았다는 생각이 든다.

[2010. 10. 15 서울 연합뉴스]

과학 배경 지식

중력 가속도는 물리학에서 중력에 의해 운동하는 물체가 지니는 가속도이다. 좁은 의미로는 지구의 중력에 대한 중력 가속도를 의미한다. 갈릴레오 갈릴레이에 의해 지구 중력 가속도는 물체의 질량과 관계없이 대략 일정하다는 것이 밝혀졌다. 기호로는 흔히 g로 나타낸다.

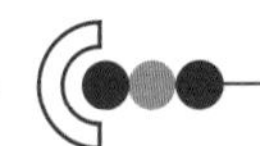

힘이란?

우리는 흔히 누구는 힘이 세고 누구는 힘이 약하다고 한다. 그런데 그 힘들은 어떤 힘을 말할까? 우리가 일상에서 사용하고 있는 힘들은 어떤 힘들이 있으며, 힘의 크기는 어떻게 나타내는지 알아보자.

먼저 힘의 크기부터 알아보면 우리가 사용하는 힘의 단위는 여러 가지가 있지만 뉴턴(Newton 기호 : N)이라는 단위를 일반적으로 사용하고 있다. 그 단위의 이름은 영국의 과학자 뉴턴의 업적을 기리기 위해 그의 이름을 따서 정한 것이다.

1kg중이라 함은 $1kg \times 9.8m/s^2 = 9.8kg \cdot m/s^2$ 이다. $1kg \cdot m/s^2 = 1N$이다. 따라서 무게 1kg중을 9.8N이라 할 수 있다.(지역에 따라 중력이 달라 무게는 약간씩 다르게 나타날 수 있음)

그렇다면 힘에는 어떤 힘들이 있는지 알아보자.

힘의 3요소 : 힘을 정확히 표시하려면 먼저 힘의 3요소를 알아야 하는데 힘의 3요소는 작용점, 힘의 크기, 힘의 방향으로 나타낸다.(그림)

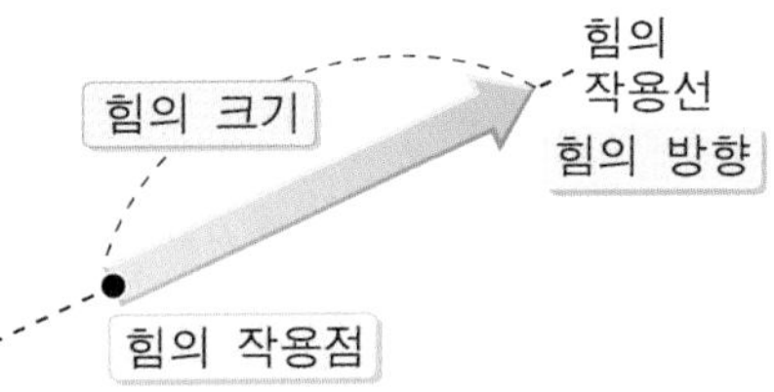

1. 문제의 인식

중력 가속도 값이 얼마라는 이야기는 많이 들었는데 그 값의 개념이나 측정방법을 모르겠다는 친구들의 이야기가 많다.
어떻게 하면 중력가속도 측정방법을 알 수 있을까?

2. 문제의 해결

광센서를 활용하여 발명품을 만든다면 중력 가속도를 측정함은 물론 중력 가속도의 개념도 정량적으로 측정하면서 알 수 있을 것이다.

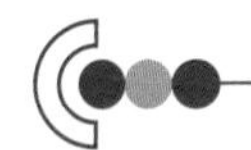

중력 가속도 측정 장치

1. 제작 동기

탐구 학습을 통하여 창의성을 계발하고 능동적으로 학습에 참여할 수 있도록 교과서 탐색법을 시행하던 중 "중력가속도에 대해 직접 실험해 볼 수 있는 방법이 없습니까?"라는 질문을 받고 중력가속도와 가속도의 측정 방법을 연구하기 시작하여 본 발명품을 만들게 되었습니다.

분석

■ 문제점

첫째, 중력 가속도는 추상적이라 정확한 개념을 이해하는데 어려움이 있어 사실 확인을 하고 싶다.

둘째, 가속도의 변화를 직접 확인해 보고 싶다.

셋째, 최근 많이 사용하고 있는 센서를 이용한 발명품을 만들어 보고 싶다.

■ 해결방안

광센서는 서로 마주 보고 있는데 그 사이로 물체가 통과할 때, 순간을 인식하는 원리를 이용해 본 발명품을 만들어 보고자 하였다.

2. 작품 요약

기존의 가속도와 속력에 대한 실험 기구를 조사해 본 결과 실험을 올바르게 이해하면서 학습을 할 수 있는 실험 기구가 없어 센서를 설치하고 위에서 아래로 물체를 낙하시키면서 센서(Micro s/w)로 통과 시간을 측정하여 중력가속도 값을 구하는 발명품입니다.

TIP 중력 가속도는 물리학에서 중력에 의해 운동하는 물체가 가지는 가속도이다. 좁은 의미로는 지구의 중력에 대한 중력 가속도를 의미한다.
갈릴레오 갈릴레이에 의해 지구 중력 가속도는 물체의 질량과 관계없이 대략 일정하다는 것이 밝혀졌다.
지구의 반지름이 일정하지 않아 정확한 값은 위치마다 다르기 때문에 지오이드를 기준으로 한 표준 중력가속도 값은 9.80665 m/s^2 이다.

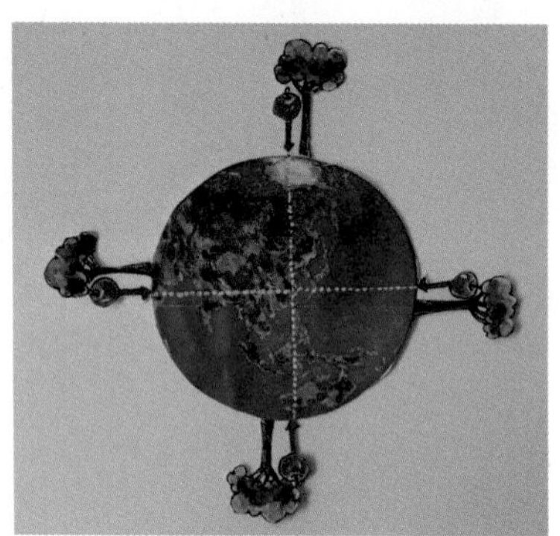

중력 가속도(g) = 9.80665 m/s^2
1 Kg 중 = 1Kg × 중력 가속도(9.8m/s^2)
따라서 1Kg 중 = 9.8Kg · m/s^2 (중은 중력가속도를 뜻함)
1 N = 1 Kg · m/s^2
그러므로 1 Kg 중 = 9.8N

문제

지구의 중력을 측정할 때에는 보통 중력 그 자체를 측정할 수 없기 때문에 중력 가속도를 측정한다. 지구의 중력 가속도는 위치에 따라 다르지만, 보통은 약 9.8㎨이다. 대체로 위도가 낮아질수록 중력 가속도가 작아지는데, 이는 지구가 완벽한 구형이 아니기 때문이다. 지구의 적도 지점 반경이 극점 지점 반경보다 약간이지만 더 길어 적도 쪽으로 갈수록 자전의 원심력에 의해 중력 가속도가 미약하게 상쇄되는 것이다. 다만 그 차이는 매우 작게 나타나기 때문에, 이를 측정하기 위한 중력 측정기는 매우 민감하다. 얼마나 민감한지 달의 움직임은 물론 심지어 근처에 사람이 지나가는 것도 감지한다고 한다.

참고 1kg중이란 질량 1kg인 물질을 $9.8m/s^2$의 가속도를 생기게 하는 힘이다. 그리고 kg중의 중은 중력가속도 값으로 $9.8m/s^2$을 뜻하는 것이다.

따라서 1kg중 = $9.8kg \cdot m/s^2$

$1N = 1kg \cdot m/s^2$

∴ 1kg중 = 9.8N 이다.

3. 작품 내용

가. 긴 막대에 센서를 일정한 간격으로 설치하였습니다.

나. 긴 막대를 레일 위에 설치하고 필요에 따라 각도를 자유롭게 조절할 수 있게 하였습니다.

다. 막대 끝에 구슬을 올려놓고 외력을 가하지 않고 자동으로 자연스럽게 낙하합니다.

라. 낙하하는 구슬의 이동 시간은 센서에 의해 1/100초로 읽혀지고 Display가 됩니다.

구상도

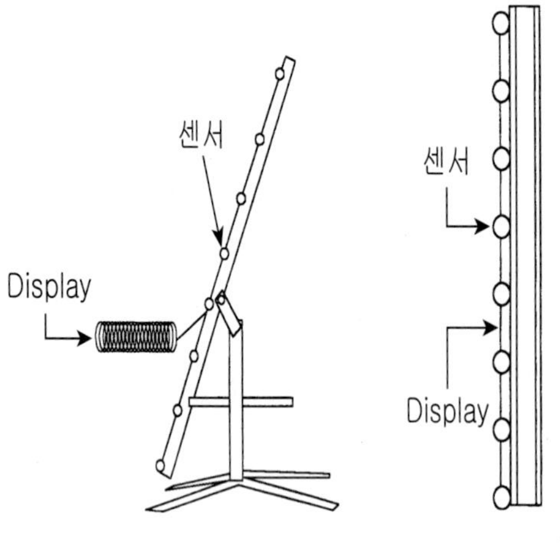

센서
Display
센서
Display

평면도

제작도

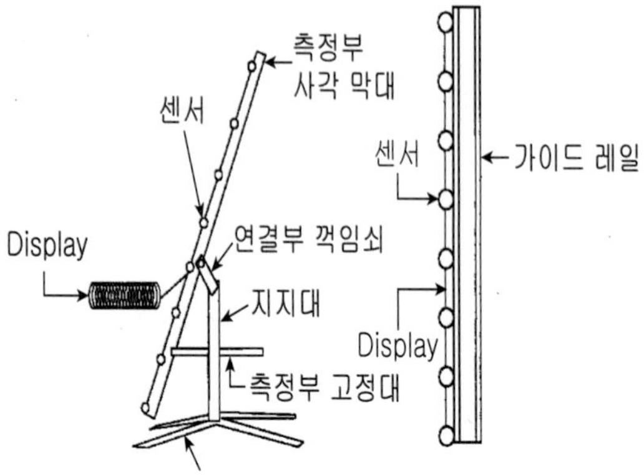

측정부
사각 막대
센서
Display
연결부 꺽임쇠
지지대
측정부 고정대
사각 받침대
센서
가이드 레일
Display

정면도

측정 실험

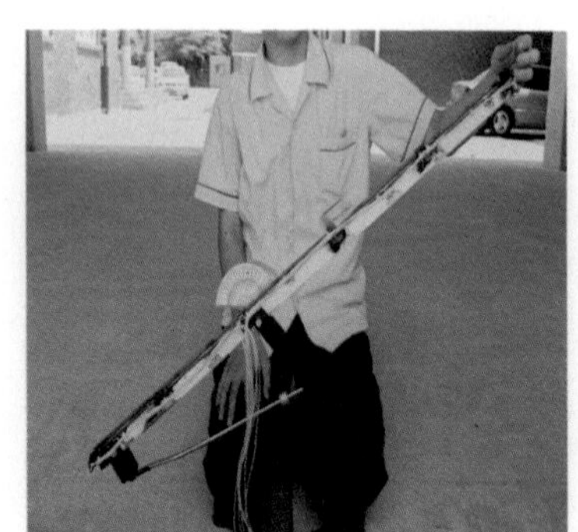

기울기 80°일 때 측정값

기울기 80도 때
이동시간
속력
속도변화량
시간변화량
가속도

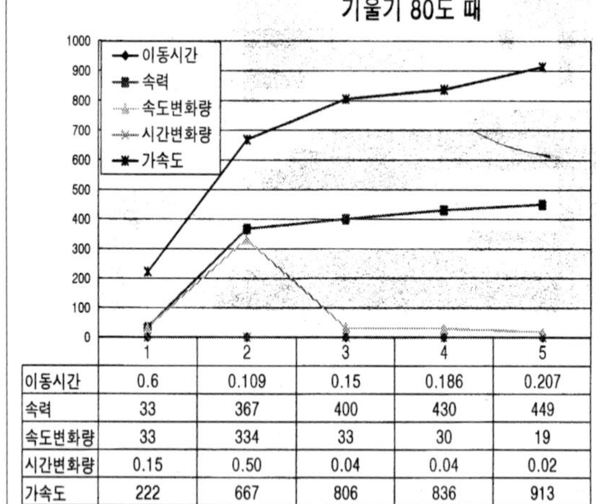

	1	2	3	4	5
이동시간	0.6	0.109	0.15	0.186	0.207
속력	33	367	400	430	449
속도변화량	33	334	33	30	19
시간변화량	0.15	0.50	0.04	0.04	0.02
가속도	222	667	806	836	913

4. 제작 결과

■ 현재 학습 방법과 본 발명품의 비교

구 분	현재 학습 방법	본 발명품
중력 가속도	중력 가속도 측정방법은 없고 일반 가속도 측정방법은 기록 타이머를 이용한 방법이 있긴 하나 정확성이나 실험방법이 너무 불편하다.	물리적 실험 기구를 이용하여 중력 가속도를 구해 속력과 가속도, 시간과 속력, 시간과 가속도, 시간과 이동거리 등을 직접 확인 학습을 할 수 있다.
기울기 변화에 따른 가속도	기울기 변화에 따른 가속도를 측정하거나 실험하는 방법이 없어 이론으로만 학습을 하고 있다.	평면에서의 가속도뿐만이 아니라 기울기의 변화에 따른 가속도를 구할 수 있어 실제 생동감이 있는 수업을 할 수 있을 것으로 예상한다.
면의 변화에 따른 가속도 변화량	마찰면의 변화에 따른 가속도 변화량을 실험으로 측정하는 방법이 없다.	마찰면의 변화량에 따른 가속도를 구할 수 있어 학습은 물론 실생활에도 적용할 수 있으리라 생각한다.

생각 열기

■ 본 작품에 나타난 과학적 원리를 응용하여 새로운 작품을 구상해보자.

■ 구상한 작품을 도면으로 나타내 보자.

➔ 만능 채칼 받침대

1. 제작 동기

부모님께서 김치를 담그는데 작은 채칼을 커다란 그릇에 대고 채를 써는 모습이 매우 불안하고 위험해 보였습니다. 그래서 별도의 받침이 없이 손쉽게 사용할 수 있는 만능 채칼 받침대를 생각하게 되었습니다.

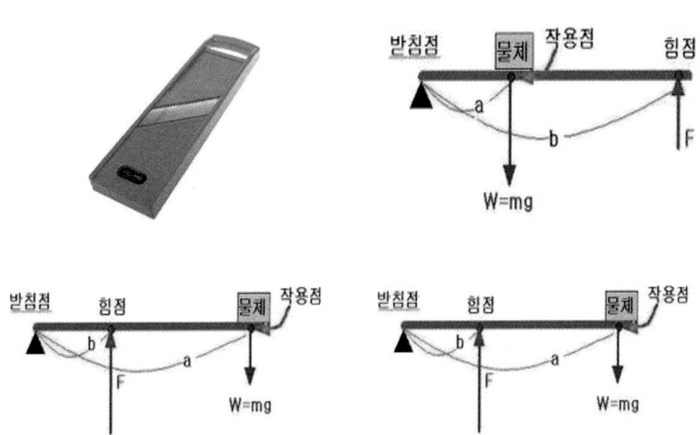

분석

- 문제점

  채칼을 커다란 그릇에 걸치고 채를 썰다 보면 고정이 되질 않아 많이 움직여 채칼질을 하는데 번거로움이 있다.

- 해결방안

  채칼 고정 장치를 만들어 그릇에 고정할 수 있도록 하여 채를 썰 때 불편함을 최소화 할 수 있게 하였다.

2. 작품 요약

자체적으로 이동하여 세로폭을 조절하도록 세로장공이 천공된 세로폭 조절 부재를 포함하는 것으로 채소나 과일을 균일한 규격으로 잘게 썰어지도록 하여 채칼 사용을 보다 편리하게 만들어주는 채칼 받침대입니다.

3. 작품 내용

가. 중앙부에 배출구를 천공시킵니다.

나. 일측부에 가로받침부를 고정시킵니다.

다. 쌍을 이루는 가로장공과 하측부에 세로폭 조절 나사공이 천공된 채칼고정판이 상기 채칼고정판의 가로장공을 따라 이동 가능하게 만듭니다.

라. 가로폭 조절 나사에 의해 고정되어 가로폭을 조절하도록 합니다.

마. 세로폭 조절 나사공은 세로폭 조절나사에 의해 결합되며, 자체적으로 이동하여 세로폭을 조절하도록 세로장공이 천공된 세로폭 조절부재를 포함시킵니다.

도면	부품도	조립도	작품

4. 제작 결과

다양한 규격의 채칼을 견고하게 고정하여 사용할 수 있도록 함으로써 다량의 채썰기 작업 시 큰 그릇에 비해 규격이 작아 사용이 불편하였던 채칼 작업을 보다 용이하게 수행할 수 있도록 하였습니다.

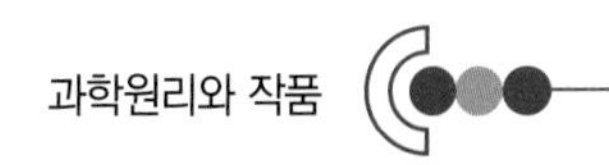

생각 열기

■ 본 작품에 나타난 과학적 원리를 응용하여 새로운 작품을 구상해보자.

■ 구상한 작품을 도면으로 나타내 보자.

어깨에 걸칠 수 있는 우산

1. 제작 동기

우리 학교는 장애 학생들이 함께 다니는데 우리 반의 한 친구는 뇌성마비로 팔다리가 자유롭지 않습니다. 비가 오는 날, 손발의 장애를 가진 친구가 온몸에 비를 맞으며 우산을 잡고 걸어가는 모습이 너무 힘겨워 보였습니다. 이 친구를 위해 좀 더 좋은 방법은 없을까 하는 생각을 하다가 본 발명품을 만들게 되었습니다.

분석

- 문제점

  몸이 부자유스런 사람들은 비나 눈이 올 때 우산을 받쳐 들기가 어렵다.

- 해결방안

  우산을 몸에 결합시켜 곤란함을 피할 수 있게 하였다.

2. 작품 요약

본 발명품은 장애학생이나 노약자들이 비바람이 불 때 힘들게 우산을 들고 다니는 것을 보고 만든 발명품입니다. 본 발명품의 특징은 어깨와 몸통으로 우산을 지지하여 어떤 비바람에도 흔들림 없이, 힘들지 않게 우산을 들고 다닐 수 있다는 것입니다.

TIP 우리 곁에 있는 장애인들은 우리들의 손길을 필요로 한다. 장애인을 위한 발명품이 더 많이 만들어지길 기대한다.

3. 작품 내용

가. 스테인리스 막대를 『갈고리』 모양으로 휘어 어깨에 맞도록 크기를 조절하여 걸 수 있게 만듭니다.

나. 스테인리스 막대가 어깨에서 미끄러져 움직이는 것을 막기 위해 실리콘을 씌우고 어깨에 편안함을 주기 위해 가죽 끈으로 넓게 씌웠습니다.

다. 『갈고리』모양로 휘어진 스테인리스 막대에 우산을 자유롭게 꼈다 뺄 수도 있고, 고정시킬 수도 있는 『우산 걸이대』를 만들어 부착시킵니다.

라. 『우산 걸이대』는 플라스틱을 깎아 홈을 만들고 고정부에 용수철을 끼운 다음 누름부를 만들어 부착시킵니다.

마. 비바람에 따라 방향을 전환할 수 있도록 각도 조절 장치를 달아 줍니다.

바. 『우산 걸이대』를 밴드로 연결하여 몸통에 묶어 움직이지 않게 만듭니다.

4. 제작 결과

가. 우산의 작용점을 몸에 붙여 우산은 몸으로 들고 손으로 방향 전환만 하면 되므로 거동이 불편한 장애인이나, 힘이 없는 노약자들이 사용하기에 편리합니다.

나. 우산을 드는데 힘들지 않고 방향 전환이 자유롭고 간편해 실용적입니다.

다. 장애 학생이나 노약자들이 우산에 신경을 쓰느라 발생할 수 있는 각종 사고를 미연에 방지할 수 있어 경제적입니다.

라. 육체가 건강한 사람이 우산을 쓰고 자전거를 탈 때도 편리하고 안전하게 이용할 수 있습니다.

마. 본 발명품이 제작 보급 되어져 손발이 불편한 장애인이나 노약자들이 본 발명품을 사용할 수 있다면 비 오는 날도 걱정 없이 편안하게 우산을 사용할 수 있을 것으로 생각합니다.

■ 기존 발명품과 본 발명품의 비교

구 분	기존 발명품	본 발명품
경제성		비바람을 맞지 않아 세탁비, 병원비가 절약된다.
창의성	어깨에 걸치는 수준	양손이 자유로워져서 활동성이 증가한다.
실용성	고리형	어깨에 걸고 몸통에 묶어 움직이지 않는다.

생각 열기

■ 본 작품에 나타난 과학적 원리를 응용하여 새로운 작품을 구상해보자.

■ 구상한 작품을 도면으로 나타내 보자.

편리한 카트

1. 제작 동기

"카트를 사람이 지지하면서 끌 때 어린이나 노약자들은 많이 힘들어하는 것 같습니다."라는 의견이 제기되어 카트를 분석해 좀 더 편리한 카트를 만들기 위해 노력하던 끝에 만들게 되었습니다.

[무거운 카트]

분석

- 문제점

무거운 짐을 실은 카트를 끌고 가기는 쉬우나 끌고 가는 도중 쉬고자 할 때와 아주 무거운 짐을 끌고 갈 때는 어려움이 있다.

- 해결방안

카트 중앙에 바퀴를 하나 더 달아 끌 때나 쉴 때 편리하게 활용할 수 있게 한다.

2. 작품 요약

쇼핑카트를 끌 때 불편함이 많으므로 사람에 따라 기울임을 조절하고 바퀴를 이용하여 기대어서 끌고 다닐 수 있도록 한 발명품입니다.

3. 작품 내용

가. 쇼핑카트를 끌 때 지지하는 힘을 들이지 않고 최소의 힘으로 끌 수 있도록 도와줍니다.

나. 사용하지 않을 때는 보관이 편리하게 간단히 접어 최소의 부피를 만들수 있게 하였습니다.

다. 쇼핑카트를 사용할 때 사람에 따라 기울임을 간단히 조절하여 사용할 수 있게 하였습니다.

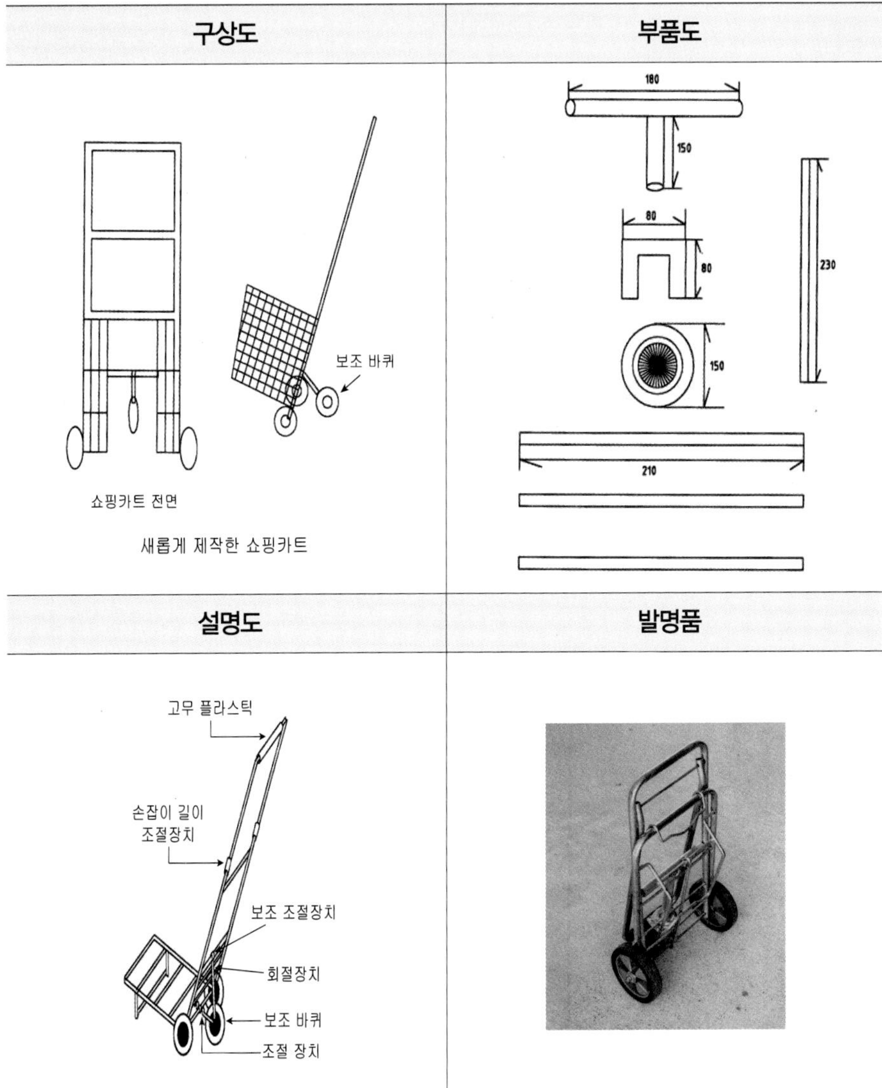

4. 제작 결과

■ 기존 발명품과 본 발명품의 비교

구 분	기존 발명품	본 발명품
이동할 때의 문제	사람의 힘으로 이동을 하여야 하므로 노약자는 많은 힘이 들고 물건을 쏟을 염려가 있다.	이동할 때 쇼핑카트를 앞으로 숙이면 자동으로 바퀴가 나와 바퀴가 3개가 달린 쇼핑카트가 되어 지지해야 하는 힘이 필요 없이 끌거나 미는 힘만으로도 가볍게 이동할 수 있게 제작하였다.
보관상의 문제	부피가 커서 좁은 집안에서는 보관할 때 장소를 많이 차지하여 불편하다.	보관할 때에는 좁은 집안에 부피를 최소화하여 보관할 수 있게 제작하여 이동할 때 부피의 1/10 크기로 작게 줄일 수 있게 하였다.
기타의 문제	사람의 개성이나 키에 상관없이 기울기가 항상 일정하여 짐을 운반하는데 어려움이 있다.	개성에 따라 자유롭게 쇼핑카트의 기울기를 조절하여 짐의 운반을 간편하게 할 수 있게 하였다.

생각 열기

- 본 작품에 나타난 과학적 원리를 응용하여 새로운 작품을 구상해보자.

- 구상한 작품을 도면으로 나타내 보자.

➔ 계단과 언덕에도 걱정 없는 만능카트

1. 제작 동기

카트에 물건을 가지고 오다가 계단을 만나 난감한 경험을 하고, 이 불편한 점을 해결하기 위해 본 발명품을 만들게 되었습니다.

분석

■ 문제점

무거운 짐을 실은 카트를 끌고 가기는 쉬우나 계단을 만나거나 경사가 심한 곳에서 끌고 가는 것은 많은 어려움이 있다.

■ 해결방안

카트에 어깨에 멜 수 있는 멜빵을 달아 계단을 만나면 등에 지고 갈 수 있도록 만든다.

2. 작품 요약

휴대용 카트를 이용하여 짐을 옮기다가 계단을 만났을 때, 어깨끈을 이용하여 등에 짊어지고, 목적지까지 안전하게 운반할 수가 있게 하였습니다. 그리고 평상시에는 어깨끈은 물건을 고정시킬 때 사용할 수 있게 만들었습니다.

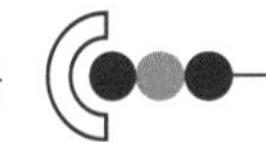

3. 작품 내용

가. 휴대용 카트를 준비합니다.

나. 가방의 멜빵을 카트에 고정하여 필요에 따라 멜 수 있게 하였습니다.

다. 멜빵을 사용하지 않을 때는 물건을 묶는 데 사용할 수 있게 하였습니다.

라. 멜빵을 자유롭게 조절할 수 있게 하였습니다.

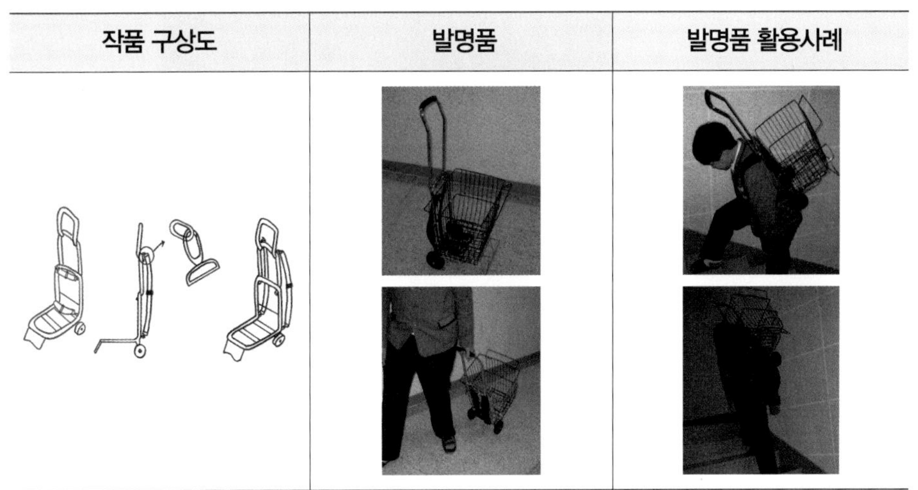

작품 구상도	발명품	발명품 활용사례

4. 제작 결과

가. 휴대용 카트를 계단에 오르게 하기 위하여 기존 제품은 바퀴를 세 개씩 달아서 옮기도록 하였으나 계단을 오를 때 진동에 의하여 물건이 쏟아질 수 있다는 단점이 있습니다. 그러나 본 발명품은 물건을 짊어질 수 있어 안전하게 물건을 운반할 수 있습니다.

나. 최근 아파트 단지에 대형 할인점은 물론 중소형 할인점이 자리매김을 하면서 쇼핑문화가 바뀌고 있습니다. 승용차를 가지고 마트에 가는 것이 아니라 휴대용 카트를 가지고 장을 보러 다니는 경우가 많으므로 본 제품은 많이 사용될 것으로 판단됩니다.

다. 기존 제품에서 크게 추가되는 부품이 많지 않으므로 경제적이라고 말할 수 있습니다.

생각 열기

■ 본 작품에 나타난 과학적 원리를 응용하여 새로운 작품을 구상해보자.

■ 구상한 작품을 도면으로 나타내 보자.

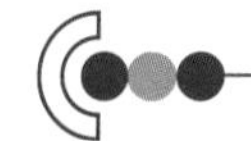

➔ 파일에 서류를 철하기가 편리해요

1. 제작 동기

선생님들께서 공문서나 자료를 정리하시기 위해 펀치로 구멍을 뚫어 파일에 끼워 두는 것을 종종 보았습니다. 그런데 펀치로 일정한 위치에 구멍을 뚫는 것이 쉬워 보이지 않았고 펀치를 찾지 못해 안타까워하는 경우도 자주 있었습니다. 그래서 서류 관리를 더 편리하게 할 수 있는 방법은 없을까 연구하게 되었습니다.

분석

- 문제점

  급속도로 사회가 변화하며 서류가 많이 사라지고 있는 추세이지만, 아직도 서류에 구멍을 뚫어 철을 해야 하는 경우가 종종 생기고 이때 여러가지 불편함이 동반된다.

- 해결방안

  도서 받침대에 펀치를 부착하여 서류를 책 받침대에 끼우고 펀치로 구멍을 손쉽게 낼 수 있게 하였다.

2. 작품 요약

파일의 편철을 위해 끼워 둔 클립 반대쪽에 작고 가는 강철을 달아 편철을 하고자 하는 서류에 칼집을 내어 서류철에 편리하게 끼울 수 있도록 하였습니다.
서류에 칼집을 내는 위치는 바닥면에 A4 종이크기를 그려 놓아 그 바닥면에 편철하고자 하는 서류를 맞추어 눌러 주면 편철할 위치가 정확히 표시가 되도록 하였습니다.

3. 작품 내용

가. 파일에 서류를 끼울 때 일정하고 깔끔하게 정리할 수 있습니다.

나. 펀치가 필요 없어 펀치를 찾느라 부산하지 않고 간편하게 서류를 정리할 수 있습니다.

다. 항상 편철할 위치를 정확히 표시하여 서류철이 깔끔하게 정리됩니다.

라. 본 발명품을 제작하는데 제작비용은 무시해도 될 정도로 미미합니다.

파일 철 모습	펀치 작동 모습	펀치 작동 모습	펀치가 된 모습

4. 제작 결과

가. 펀치가 필요 없어 자원을 낭비하지 않아 경제적입니다.

나. 항상 서류철이 깔끔하고 깨끗하게 묶어질 수 있어 실용적입니다.

다. 편철할 위치를 일정하고 정확하게 뚫을 수 있어 편리하고 효율적입니다.

라. 간편하게 편철할 위치를 표시하고 뚫을 수 있어 시간의 낭비를 줄일 수 있습니다.

■ 기존 발명품과 본 발명품의 비교

구 분	기존 발명품	본 발명품
경제성	비교대상 없음	항상 서류철이 깔끔하고 깨끗하게 묶어질 수 있어 자원을 재활용 가능하고, 쓰레기 낭비가 적다.
창의성	비교대상 없음	작고 가는 강철을 달아 편철을 하고자 하는 서류에 칼집을 내어 서류철을 편리하게 할 수 있다.
실용성	비교대상 없음	제작비용은 적게 들지만, 일정하고 깔끔하게 정리할 수 있고, 펀치가 필요 없으므로 실용적이다.

생각 열기

■ 본 작품에 나타난 과학적 원리를 응용하여 새로운 작품을 구상해보자.

■ 구상한 작품을 도면으로 나타내 보자.

들리지 않아 뒤집힘이 없는 물놀이 튜브

1. 제작 동기

가족과 부산 해운대에 간 적이 있습니다. 많은 사람들이 물속에서 튜브를 타고 일명 파도타기 놀이를 즐기고 있었는데 한 어린아이가 다가오는 파도가 무서웠는지 뒤쪽으로 도망가듯 피하는 순간 파도에 맞아 튜브가 뒤집히는 일이 발생했습니다. 주위에 있는 어른들의 도움으로 위험한 순간은 면했지만 바닷물을 잔뜩 먹었는지 콜록거리면서 괴로워하는 모습이 지금도 생생하게 기억날 정도로 정말 아찔한 순간이었습니다.

그 일이 있은 후에 인터넷에서 검색을 하다가 튜브가 뒤집힌 위험한 장면의 사진들을 발견하게 되었습니다. 튜브가 뒤집어져서 발생하는 사고를 사전에 막아 어린이들을 익사사고로부터 막아야겠다는 생각으로 연구를 하게 되었습니다.

튜브가 뒤집어져 위험한 순간의 모습들

분석

- 문제점

  한 어린아이가 다가오는 파도가 무서웠는지 뒤쪽으로 도망가듯 피하는 순간 파도에 맞아 튜브가 뒤집히는 일이 발생했다.

- 해결방안

  튜브가 뒤집어져서 발생하는 사고를 사전에 막아 어린이들을 익사사고로부터 막을 수 있도록 뒤집히지 않는 안전한 튜브를 연구하였다.

2. 작품 요약

물놀이 시 파도와 같은 외부의 힘에 의해 들려 뒤집히는 사고를 막기 위해 기존 해파리의 형태를 이용하여 물놀이 튜브의 아래 부분에 또 하나의 튜브를 부착한 다음, 부착한 튜브에 뚫린 구멍 속으로 들어간 물의 무게로 들리지 않게 하였고, 2차적으로 튜브에 표면 장력이 작용하게 하여 어떠한 외부의 힘에 의해서라도 튜브가 들리지 않도록 한 작품입니다.

3. 작품 내용

TIP 작품에 적용한 과학적 원리

- 해파리의 모습을 모방한 생체모방
- 튜브 안에 물이 들어가고 들어간 물의 양만큼 무겁도록 함
- 물체 표면 아래에서 잡아당기는 표면장력을 이용함

가. 표면장력 : 물 분자간의 인력으로 표면적을 작게 만들려고 하는 힘이 표면 장력이다. 즉, 인접한 같은 물 분자들끼리 끌어당기는 힘을 응집력이라 하고, 인접한 다른 물질의 분자와 물 분자가 서로 끌어당기는 힘을 부착력이라고 하는데, 이 응집력과 부착력의 차이로 발생하는 것을 표면장력이라고 한다.

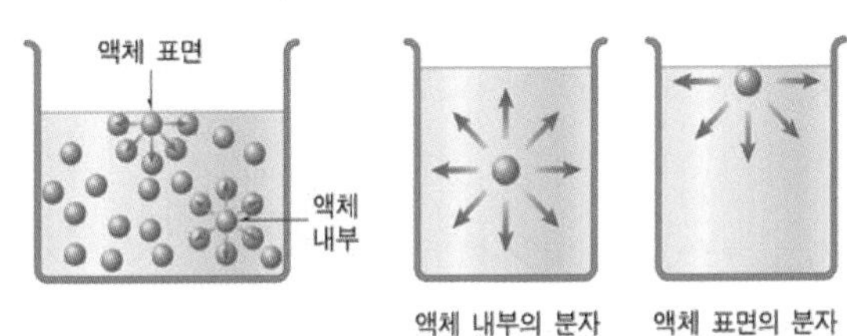

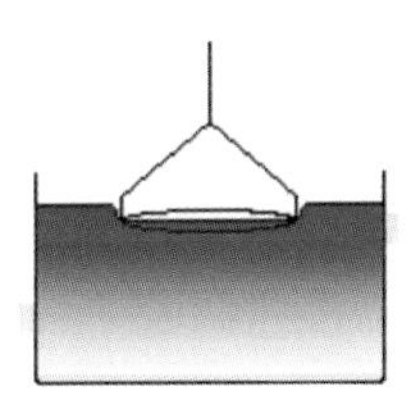

얇은 금속 반지를 물 표면에 놓고 위로 당기면 금속 반지에 물이 달라붙게 되는데 이것 역시 표면장력에 의한 영향이라 할 수 있다.

나. 중력 : 모든 물체사이에 작용하는 인력을 말하며 물체에 작용하는 만유인력, 즉 지구가 질량(m)인 물체를 끌어당기는 힘을 말한다.

W = m · g (m : 질량, g : 중력가속도)

다. 생체모방 : 생체모방(生體模倣 : biomimetics, biomimicry)은 생명을 뜻하는 'bios'와 모방이나 흉내를 의미하는 'mimesis' 이 두 개의 그리스 단어에서 따온 단어로, 이름에서 알 수 있듯이 생체모방은 자연에서 볼 수 있는 디자인적 요소들이나 생물체 특성의 연구 및 모방을 통해 인류의 과제를 해결하는 데 그 목적이 있다.

생체모방학의 선구자인 재닌 베니어스는 생체모방을 '자연이 가져다 준 혁신'이라 정의하기도 하였다. 현재의 생체모방학은 새로운 생체물질을 만들고, 새로운 지능 시스템을 설계하며, 생체 구조를 그대로 모방하여 새로운 디바이스를 만들고, 새로운 광학 시스템을 디자인하는데 많은 도움을 주고 있다.

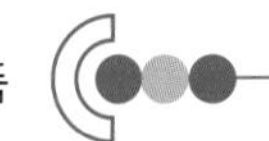

[물속에서 안정적으로 이동하는 해파리 모습을 이용한 생체모방]

■ 작품 제작

뒤집힘이 없는 튜브를 제작하기 위해 해파리의 모습을 모방하고 물놀이 튜브 아래에 부착한 튜브에 구멍을 내어 튜브 안으로 물이 들어가도록 설계하여 들어간 물의 양만큼 중력이 작용하여 무겁게 눌러줌과 동시에, 튜브 아래 표면에 표면장력이 최대로 작용하게 하여 뒤집힘을 막을 수 있도록 제작하였습니다.

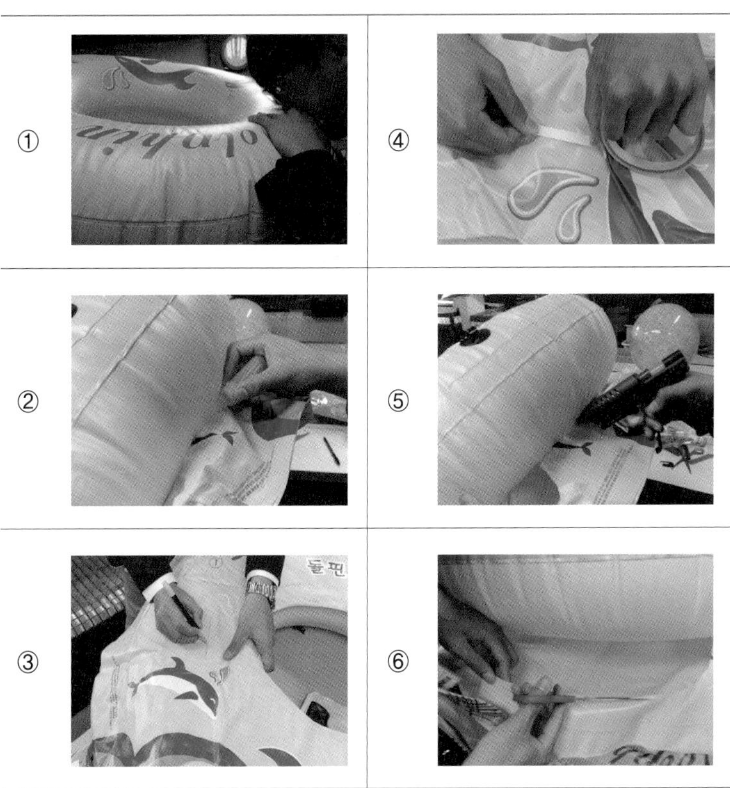

■ 완성품

들리지 않아 뒤집힘이 없는 물놀이 튜브

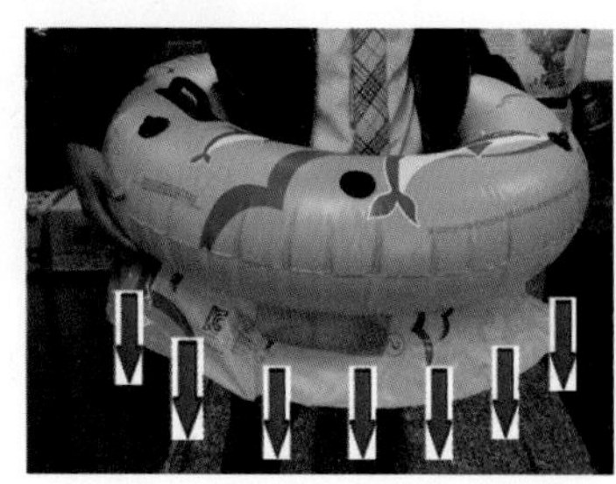

4. 제작 결과

가. 결과

기존 해파리와 같은 생체모방을 통하여 물놀이 튜브의 아래 부분에 또 하나의 튜브를 부착한 다음, 부착한 튜브에 부분적으로 구멍을 뚫어 물속에 들어갔을 때 1차적으로 뚫린 구멍 속으로 들어간 물의 무게로 인해 들리지 않게 눌러주면서 튜브의 중심을 낮춰주고 2차적으로 튜브에 표면 장력이 작용하게 하여 어떠한 외부의 힘이 주어지더라도 튜브가 들리지 않게 되었습니다.

나. 활용과 전망

여름철 더위를 이기기 위해 사용하는 물놀이 튜브는 대부분 수영능력이 없거나 힘이 부족한 어린아이들과 유아들이 많이 이용하는 물놀이 기구입니다.
이렇게 어린아이들이 많이 사용되는 튜브가 외부에서 작용하는 힘에 의해 뒤집히는 사고가 익사사고로 이어지는 끔직한 사고가 발생하고 있는데 이러한 간단한 구조로 뒤집힘을 막을 수 있는 튜브를 제작하여 어린이들의 귀중한 생명을 보호하고 안전하게 물놀이를 할 수 있게 하였습니다.

생각 열기

■ 본 작품에 나타난 과학적 원리를 응용하여 새로운 작품을 구상해보자.

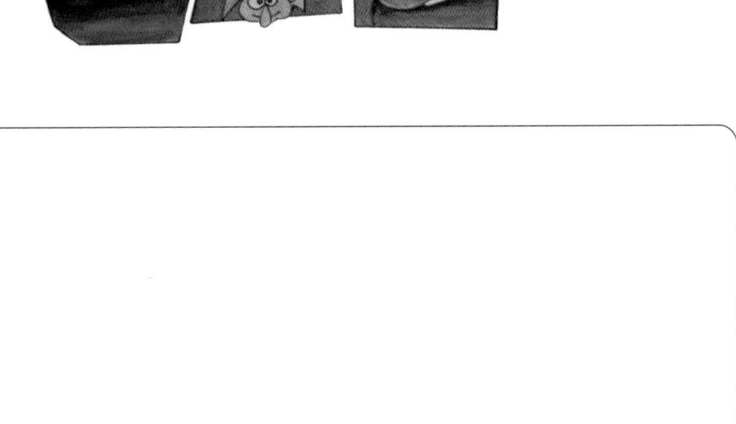

■ 구상한 작품을 도면으로 나타내 보자.

플러그를 쉽게 꽂을 수 있도록 유도하는 길

1. 제작 동기

우리 집의 여러 곳에는 플러그를 꽂을 수 있는 콘센트가 있습니다. 청소기를 돌릴 때, 핸드폰을 충전할 때 등 하루에도 몇 번씩 콘센트를 이용하게 됩니다. 그런데 여러 개의 콘센트 중에 몇몇은 TV 뒤나 서랍장 뒤에 숨어 있어 콘센트의 구멍을 직접 보며 플러그를 꽂지 못하고 팔을 뻗어 감으로 꽂아야 할 때도 있습니다. 또 콘센트가 앉은 자세보다 낮은 위치에 있을 때도 플러그의 구멍 위치를 볼 수가 없어 이럴 때 플러그를 제대로 끼우지 못하고 몇 번 시행착오를 한 뒤에 플러그를 꽂은 적이 한두 번이 아닙니다. 이럴 때마다 보다 쉽게 플러그를 꽂을 수 있도록 콘센트에 특별한 장치가 되어 있으면 좋겠다는 생각을 했습니다. 노약자나 장애인들을 포함하여 남녀노소 누구나 어떤 위치에서도 플러그를 쉽게 꽂을 수 있도록 유도하는 안내 장치를 마련하기 위해 본 발명품을 고안하였습니다.

분석

■ 문제점

첫째, 벽에 붙어 있는 콘센트에 플러그를 꽂을 때 TV 뒤나 서랍장 뒤에 숨어 있어 콘센트의 구멍위치를 볼 수 없어 대충 감으로 꽂아야 한다.

둘째, 콘센트가 앉은 자세보다 낮은 위치에 있을 때와 장애물로 어두운 곳에 있을 때도 감으로 꽂아야 한다.

■ 해결방안

어떤 환경과 위치에서도 플러그를 쉽게 꽂을 수 있도록 안내 장치를 마련하면 효율적일 것이다.

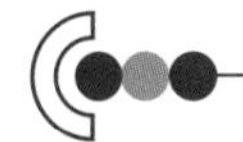

2. 작품 요약

콘센트에 플러그를 꽂을 때 콘센트 한쪽 몸체에 넓은 부분이 점점 좁혀가는 형태의 오목 홈 길을 만들어 플러그가 콘센트의 구멍을 쉽게 찾아갈 수 있도록 유도해주는 작품입니다.

3. 작품 내용

TIP 작품에 적용한 과학적 원리

기존의 콘센트는 벽면에 매립되어 플러그가 꽂힐 수 있도록 2개의 구멍이 마련되어 있는 형태이다. 일반적인 상황에서 전자제품을 사용하는데 아무런 문제가 없지만 콘센트의 앞에 장애물이 위치하여 시야를 가리는 경우와 콘센트 위치가 너무 낮아 콘센트 구멍이 보이지 않을 경우, 플러그를 단번에 똑바로 꽂기란 쉽지 않다.

- 시중에 나와 있는 콘센트는 구멍의 위치가 아주 다양하게 제작되고 있어 구멍 위치를 예측하기가 쉽지 않기 때문이다.

구멍의 위치가 다른 콘센트

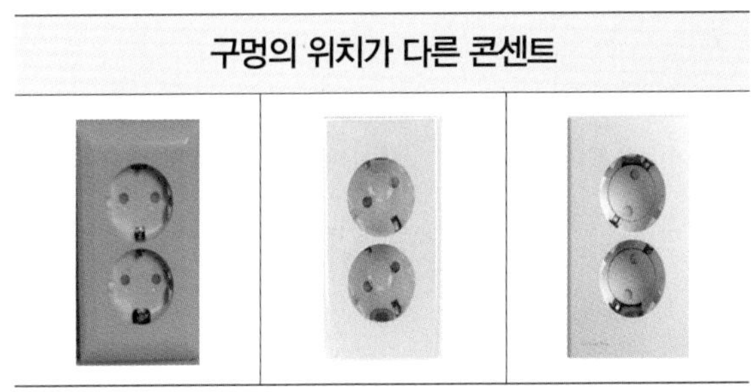

■ 작품에 적용한 과학적 원리

어떤 환경과 위치에서도 플러그가 쉽게 이동할 수 있는 유도길을 만들어 주면 효율적일 것입니다.

■ 작품 제작

어떤 환경에서도 일반적인 콘센트에 플러그를 보다 쉽게 꽂을 수 있도록 안내 장치를 마련하기 위해 기존의 콘센트에 옆쪽으로 안쪽으로 넓은 길이 점점 좁아지는 길이 되도록 아크릴을 이용하여 제작하였습니다.

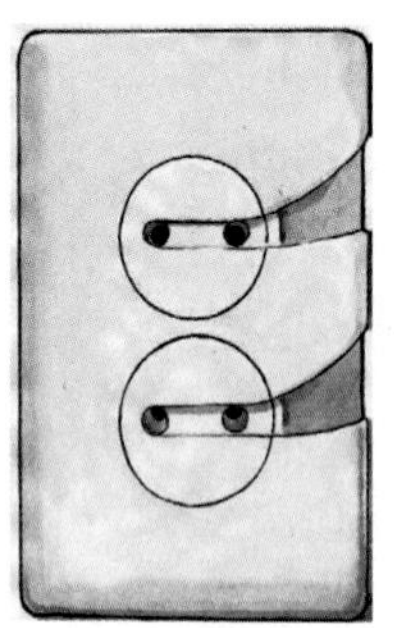

[완성품]

■ 작품 분석

콘센트에 오목 홈을 이용하여 넓은 부분이 점점 좁혀가는 형태의 길을 만들어 플러그가 콘센트의 구멍을 쉽게 찾아갈 수 있도록 유도해주는 장치입니다.
콘센트 구멍의 위치와 안내 장치의 끝부분의 위치가 일치하여 안내 장치를 따라 플러그를 이동하면 콘센트의 구멍에 자연스럽게 정조준이 됩니다. 그 상태에서 플러그를 꽂으면 안내 장치의 일부가 콘센트 안으로 밀려들어가면서 플러그가 완전히 결합되게 됩니다.

4. 제작 결과

우리나라는 전자강국답게 대부분의 가정에서 많은 종류의 전자제품을 사용하고 있습니다. 그러나 갈수록 높아지는 전자기기 사용 빈도에 비해 콘센트의 편의 도구는 많이 개발되지 못한 것 같습니다. 전자기기를 사용하는 수많은 사람들이 보다 쉽게 플러그를 콘센트에 꽂을 수 있었으면 하는 바람을 가지고 있으며 특히, 몸이 불편하신 장애인이나 노약자 분들이 유도길이 있는 콘센트를 통해 전자제품을 마음껏 사용할 수 있기를 기대해 봅니다.

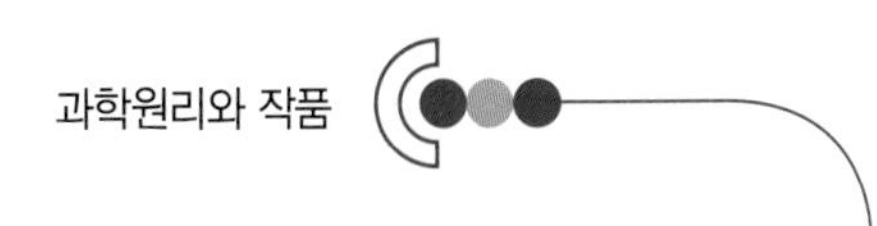

TIP

■ 콘센트를 쉽게 꽂기 위한 새로운 발상 (삼각형 구조)

■ 경사가 있어 구멍이 잘 보이는 콘센트

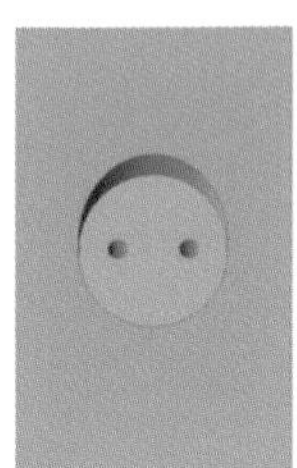

생각 열기

■ 본 작품에 나타난 과학적 원리를 응용하여 새로운 작품을 구상해보자.

■ 구상한 작품을 도면으로 나타내 보자.

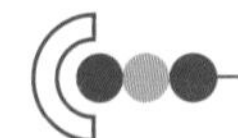

➔ 빨래집게가 옷걸이로 변신

1. 제작 동기

운동을 좋아하고 생활화하는 우리 가족은 5인 가족으로 옷을 하루에 한 번씩만 갈아입어도 세탁할 옷이 산더미처럼 쌓이게 됩니다. 어느 날 바쁜 어머니의 일손을 돕고자 세탁한 빨래를 대신 널은 적이 있는데 세탁한 옷을 털어서 옷걸이에 걸기도 하고 옷걸이에 걸 수 없거나 바람에 날리는 옷들은 빨래집게로 집어놓기도 하였습니다.

몇 번 빨래 너는 것을 도와드리면서 보니 어떤 때는 빨래집게는 남는데 옷걸이가 부족하고, 또 어떤 때는 옷걸이는 남는데 빨래집게가 부족한 경우가 있어 참 불편하다는 생각이 들었습니다. 순간적으로 옷걸이가 빨래집게로 변하고, 빨래집게가 옷걸이로 변한다면 빨래를 보다 쉽게 널 수 있을 것이라는 생각이 들어 옷걸이 겸용 빨래집게에 대해 연구하게 되었습니다.

분석

■ 문제점

빨래를 널 때 어떤 때는 옷걸이가 부족하고 빨래집게가 남고, 어떤 때는 옷걸이가 남고 빨래집게가 부족한 경우가 발생한다.

■ 해결방안

옷걸이가 빨래집게로 변하고, 빨래집게가 옷걸이로 변한다면 빨래를 보다 쉽게 널 수 있을 것이다.

2. 작품 요약

일반 빨래집게의 기능을 그대로 유지하면서 필요시 옷걸이로 사용할 수 있도록 빨래집게의 기능과 옷걸이의 기능을 결합하여 평소에는 빨래집게로 사용하다 필요할 때 누구나 손쉽게 옷걸이로 바꿔 사용할 수 있게 한 작품입니다.

3. 작품 내용

TIP 작품에 적용한 과학적 원리

가. 지렛대 원리

① 지레를 누르는 힘 F와 물체의 무게 w 사이에는 다음과 같은 관계식이 성립함

$$F \times a = w \times b$$

② 지레를 사용할 때의 일 : 지레를 사용하면 힘에는 이득이 있지만 이동 거리가 길어지므로 일에는 이득이 없음

$$F = w \times \frac{b}{a},\ s = h \times \frac{b}{a}$$

③ 지레가 물체에 한 일과 사람이 지레에 한 일은 같음

$$W = F \times s = w \times h$$
$$F \cdot a = w \cdot b$$

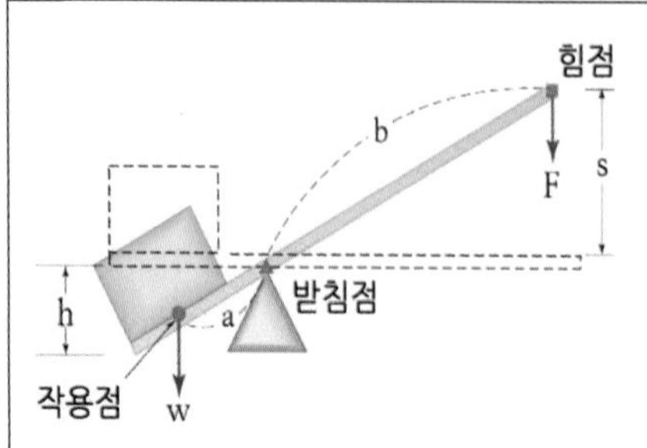

W : 물체의 무게
F : 지레에 가해주는 힘
a : 힘점에서 받침점까지의 거리
b : 작용점에서 받침점까지의 거리

나. 탄성의 법칙

물체에 힘을 가했을 때 모양이 변하지만 힘을 없애면 원래의 모양으로 되돌아가는 성질을 탄성이라 하며 그 원래의 상태로 되돌아가려는 힘을 탄성력이라고 한다. 탄성 한계 내에서 물체에 가해진 힘 F와 변형된 x는 비례하는데 이를 훅의 법칙이라고 한다.

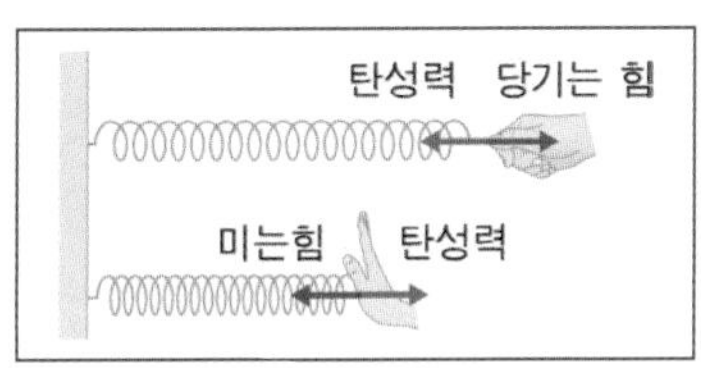

$F=kx$ (F : 힘, k : 탄성계수, x : 늘어난 길이)

■ 작품 구상

다양한 형태와 크기의 빨래집게는 이미 제품으로 나와 있으나 이는 일반적으로 단순하게 빨래를 집는 용도이며 옷걸이 기능을 겸비한 것은 없습니다. 그래서 빨랫줄에 매달려 있는 빨래집게에 옷걸이의 기능이 더해진 새로운 형태의 빨래집게를 구상하게 되었습니다.

■ 작품 제작

옷걸이로 펼쳐 사용할 수 있는 형태의 빨래집게를 구상하여 제작하였습니다.

제작된 발명품	빨래집게를 옷걸이로 펼침

4. 제작 결과

빨래집게를 옷걸이로 펼침

빨래를 널 때 어떤 때는 옷걸이가 부족하고 빨래집게가 남고, 어떤 때는 옷걸이가 남고 빨래집게가 부족한 경우가 발생하는데 이렇게 부족해서 발생하는 불편한 점을 해결하기 위해 옷걸이가 빨래집게로 변하고, 빨래집게가 옷걸이로 변한다면 좋겠다는 생각이 현실이 되었습니다. 기존의 제품에 옷걸이 기능을 추가하여 별도의 옷걸이 없이 두 가지 기능을 모두 사용할 수 있어 빨래를 널 때 시간도 절약되는 장점이 있습니다. 앞으로 이 작품이 실제 상품으로 만들어 진다면 다음과 같은 우수한 기능으로 가사노동 시간을 줄이는 데 도움이 될 것입니다.

가. 일반 빨래집게의 기능은 그대로 유지하면서 필요시 옷걸이로 사용할 수 있도록 일반 빨래집게의 기능과 옷걸이의 기능을 결합하여 평소에는 빨래집게로 사용하다가 필요할 때 손쉽게 옷걸이로 바꿔서 사용할 수 있게 제작되었고,

나. 셔츠나 남방을 널 때 옷걸이가 없어서 생기는 불편함과 옷걸이를 따로 구입하는데 들어가는 경제적 손실을 줄일 수 있고,

다. 옷걸이를 가지러 테라스나 야외에서 방으로 들어가서 다시 되가져 나와야하는 수고를 하지 않아도 되며 무엇보다 그만큼 주부들의 가사노동시간도 절약할 수 있도록 제작되었습니다.

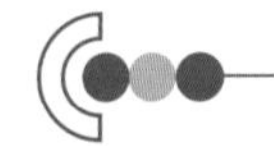

생각 열기

■ 본 작품에 나타난 과학적 원리를 응용하여 새로운 작품을 구상해보자.

■ 구상한 작품을 도면으로 나타내 보자.

시각장애인을 위한 넘침을 방지할 수 있는 장치

1. 제작 동기

어느 날, 컵에 물을 따라 마시다가 문득 생각이 났습니다. 눈이 보이지 않는 시각장애인들은 컵에 물을 따라 마실 때 어떻게 넘치지 않게 따라 마실 수 있을까? 혹시 뜨거운 물을 따를 때 물이 넘쳐 손에 화상을 입지는 않을까? 걱정이 되었습니다.

그래서 앞이 보이지 않는 상황에서도 물이 넘치지 않고 안전하게 따라 마실 수 있는 방법을 고민하다가 컵이나 텀블러에 감지기를 부착하여 일정위치까지 올라오면 이를 감지할 수 있는 방법을 연구하게 되었습니다.

분석

■ 문제점

시각장애인들은 컵에 물을 따라 마실 때 넘치거나, 뜨거운 물을 따를 때 물이 넘쳐 손에 화상을 입을 수 있다.

■ 해결방안

컵이나 텀블러에 아답터 방식의 감지기를 부착하여 물이 일정한 위치까지 올라오면 이를 감지할 수 있는 방법을 찾는다.

2. 작품 요약

물을 컵에 따를 때 컵에 일정량의 물이 차면 경고음과 진동이 발생하여 시각장애인이 물의 양을 인지하고 더 이상 액체를 따르지 않게 하였습니다. 본 발명품으로 인해 뜨거운 물이 넘쳐서 발생할 수 있는 화상이나 보통 음료수가 넘쳐 발생하는 지저분함을 막을 수 있게 되었습니다.

3. 작품 내용

TIP 작품에 적용한 과학적 원리

물이 차오르면 경고음(진동)이 발생하도록 제작한다.

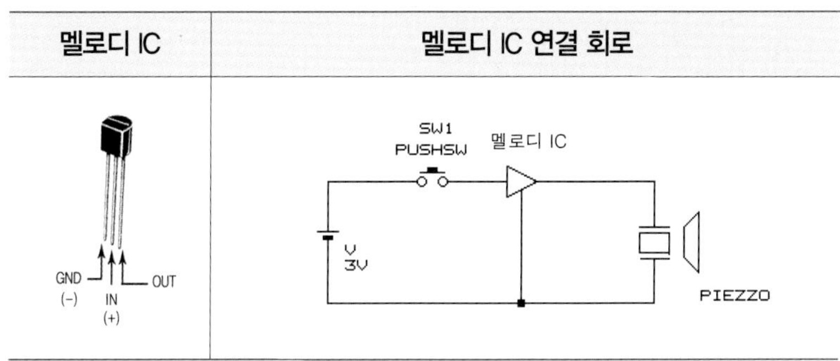

■ 작품 제작

가. 과학적 원리가 담겨있는 발명품을 제작한다.
컵에 따르는 대부분의 액체가 전해질임을 이용하였습니다.
트랜지스터의 증폭작용을 이용하여 미약한 신호로 강한 소리를 만들어 냅니다.

나. 탈부착이 가능하게 하여 휴대하기 쉽게 제작한다.
이전에 있던 대부분의 발명품들은 컵에 감지기가 부착되어 있어, 항시 컵을 들고 다녀야하는 불편한 점이 있기 때문에 컵에 탈부착 할 수 있게 제작하여 휴대용으로 들고 다닐 수 있게 하였습니다.

다. 물의 양을 조절할 수 있게 제작한다.
감지부분의 위치를 달리하여 물의 양을 조절할 수 있게 제작하였습니다.

물의 양을 감지할 수 있는 감지기가 부착된 컵	

4. 제작 결과

본 발명품이 만들어짐으로써 보이지 않아 고생을 하는 시각장애인들이 조금이나마 더 안전하고 편리하게 생활할 수 있게 될 것입니다. 뜨거운 물이 넘쳐 생길 수 있는 화상과 같은 위험한 사고를 예방할 수 있고 타인의 도움없이 원하는 양의 물을 컵에 담을 수 있을 것입니다.

본 발명품은 탈, 부착이 가능한 작품으로 평소에 볼펜과 같이 휴대하고 다니다가 필요할 때 꺼내 사용할 수 있고 가격이 저렴하여 경제적 부담도 없습니다.

생각 열기

■ 본 작품에 나타난 과학적 원리를 응용하여 새로운 작품을 구상해보자.

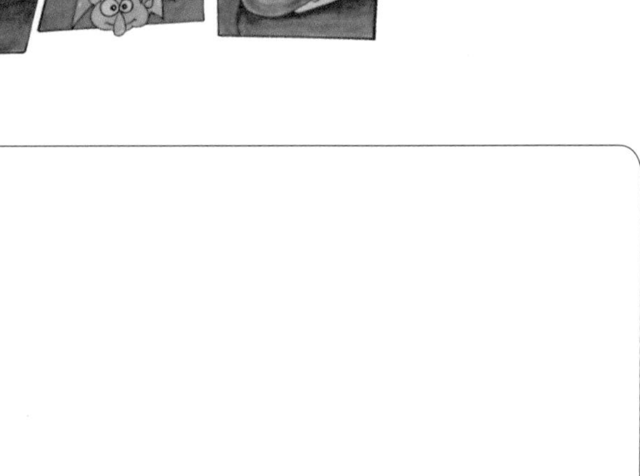

■ 구상한 작품을 도면으로 나타내 보자.

넘어지면 꺼지는 안전 알코올 램프

1. 제작 동기

학교에서 실험을 하다가 발생하는 안전사고 중 가장 비율이 높은 것 중에 하나가 알코올램프에 의한 화재 사고입니다. 알코올램프의 사고 유형을 보면 실험을 마치고 불의 소화 과정에서 알코올램프 심지에서 타오르는 불꽃이 무서워 뚜껑을 던져 소화시키거나 소화과정에서 불꽃이 손에 닿아 순간 뜨거움으로 놀라서 알코올램프를 치게 되고 이 과정에서 알코올램프가 넘어져 알코올이 주변으로 쏟아지고 쏟아진 알코올에 불이 붙어 화재가 커지는 사고가 주위에서 많이 벌어지고 있습니다. 이렇게 우리가 과학실에서 많이 사용하는 알코올램프의 위험성과 불편함을 개선하여 '넘어지면 바로 꺼지는 안전한 알코올램프'를 만들었으면 좋겠다는 생각이 들어 연구하게 되었습니다.

■ 문제점

알코올램프의 소화 과정에서 알코올램프 심지에서 타오르는 불꽃이 무서워 뚜껑을 던져 소화시키거나 소화과정에서 불꽃이 손에 닿아 순간 뜨거움으로 놀라서 알코올램프를 치게 되고 넘어져 쏟아진 알코올에 불이 붙어 화재가 발생하는 경우가 많이 있다.

■ 해결방안

타오르는 알코올램프의 불을 누구나 쉽게 소화시킬 수 있게 하고, 넘어지면 바로 꺼지는 안전한 알코올램프를 만들었으면 좋겠다.

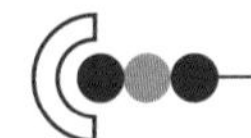

2. 작품 요약

실험 시 알코올램프를 사용하다 넘어졌을 때 알코올과 산소를 신속히 차단하여 안전사고를 예방함으로써 누구나 안전하게 실험할 수 있는 여건을 조성하였습니다.

3. 작품 내용

TIP 작품에 적용한 과학적 원리

가. 소화 : 연소의 조건 중 하나 이상의 조건을 제거하여 불을 끄는 것

나. 소화의 조건에 따른 불을 끄는 방법

① 탈 물질 제거
산불 주변의 나무를 제거하거나 맞불 놓기
가스레인지의 밸브를 닫아 탈 물질을 제거함

② 산소 차단
소화기로 불을 끄기
알코올램프의 뚜껑을 닫아 산소를 차단함

③ 발화점 미만으로 온도 낮추기
물을 뿌려서 불끄기

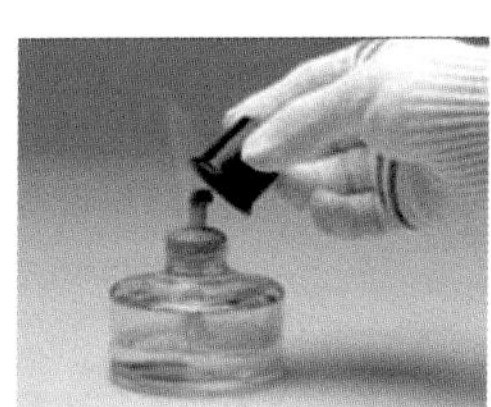

■ 작품 제작

알코올램프가 넘어졌을 때 연소의 3요소(탈 수 있는 재료, 산소, 발화점 이상의 온도) 중 탈 수 있는 재료(알코올)의 공급을 차단함과 동시에 산소의 공급도 차단함으로써 넘어지면 바로 꺼지도록 제작하였습니다.

■ 산소 공급 차단하기

가. 뚜껑의 윗면과 옆면이 나사로 연결되어 있어 나사를 축으로 뚜껑의 윗면이 옆면 위에서 자유롭게 회전할 수 있도록 제작하였습니다.

- 알코올램프를 사용하는 동안에는 뚜껑을 반대쪽으로 회전시켜 열어 놓고 불을 붙여 사용하지만, 알코올램프가 넘어지면 뚜껑의 윗면이 회전하여 닫히므로 산소를 완벽하게 차단하여 불이 꺼집니다.

나. 산소차단으로 알코올램프가 바로 꺼질 수 있으므로 알코올램프 심지를 가운데로 이동시켜 알코올의 효력을 높였습니다.

다. 알코올 뚜껑(금속)과 몸통(파이렉스)을 불과 충격에 강한 재질로 제작하여 안전성을 높였습니다.

완성품

4. 제작 결과

가. 안전성 측면에서

① 알코올램프가 넘어졌을 때 알코올이 주변으로 쏟아지는 문제를 해결할 뿐만 아니라 불이 바로 꺼지게 하여 화재의 위험을 크게 줄였습니다.

② 연소의 3요소 중 알코올과 산소를 차단함으로써 과학실에서 안전사고를 예방하고 누구나 안전하게 실험할 수 있는 여건을 조성하였습니다.

③ 알코올램프 뚜껑과 몸통을 불과 충격에 강한 재질로 제작하여 안전성을 높였습니다.

나. 과학적 측면에서

무게 중심, 샤를의 법칙, 연소의 3요소, 중력 등 다양한 과학적 원리를 알 수 있습니다.

생각 열기

■ 본 작품에 나타난 과학적 원리를 응용하여 새로운 작품을 구상해보자.

■ 구상한 작품을 도면으로 나타내 보자.

화덕 위에 정확하게 올려 에너지를 절약할 수 있는 용기

1. 제작 동기

어머니는 절약이 생활화 되어 있습니다. 그래서 하나라도 낭비가 되는 것을 보면 우리를 혼내십니다. 어느 날 어머니께서 조리를 하려고 가스 불에 냄비를 올려놓고 냄비 앞에서 또 옆에서 요리조리 살펴보시는 것을 보고 왜 그러시냐고 물어보니 냄비가 정확히 가스불꽃 중앙 위에 올려 있는지 확인하는 것이라고 하셨습니다. 정확히 올려 있어야 열효율이 좋아지고 이로 인해 에너지를 아낄 수 있다고 하셨습니다. 어머니의 말씀을 듣고 어떻게 하면 냄비를 화덕 불꽃 위에 정확히 올려놓을 수 있을까 연구하게 되었습니다.

■ 문제점

어머니께서 요리를 하려고 가스불에 냄비를 올려놓고 냄비 앞에서 또 옆에서 요리조리 살펴보시면서 냄비가 정확히 가스불꽃 위에 올려 있는지 확인해야 하는 번거로움이 있었다.

■ 해결방안

요리할 조리 기구를 앞, 뒤, 좌, 우 방향 위치가 같게 화덕중앙 불꽃 위에 정확히 올려 열 손실을 막아 에너지를 아낄 수 있는 방법을 찾는다.

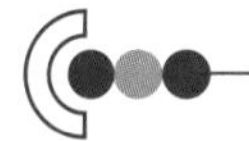

2. 작품 요약

요리하는 냄비를 가스 불 중앙 센터부분에 올리기 위해 경사진 4개의 받침대와 공기방울 수평기를 이용하여 제작하고 요리하는 냄비를 화덕 중앙 센터부분에 맞추어 낭비되는 에너지를 막으면 가정적 국가적으로 에너지를 절약할 수 있습니다.

3. 작품 내용

TIP 작품에 적용한 과학적 원리

조리기구의 뚜껑에 달린 손잡이는 그 기능을 위해서 뚜껑의 한 가운데에 위치하게 만들어졌다. 그래야 뚜껑의 기울어짐을 최소화하면서 안전하게 뚜껑을 여닫을 수 있기 때문이다. 뚜껑의 가장자리 무게가 균일하기 때문에 무게중심과 중심 위치가 일치한다.
본 발명품은 가스레인지 화구 중심을 알려주는 장치이다. 공기방울 수평계가 지적해 주는 곳에 조리기구의 중심을 위치시키면 된다. 이 때 조리기구의 중심을 정확하게 알기 위해서 조리기구 뚜껑의 손잡이를 이용한다.

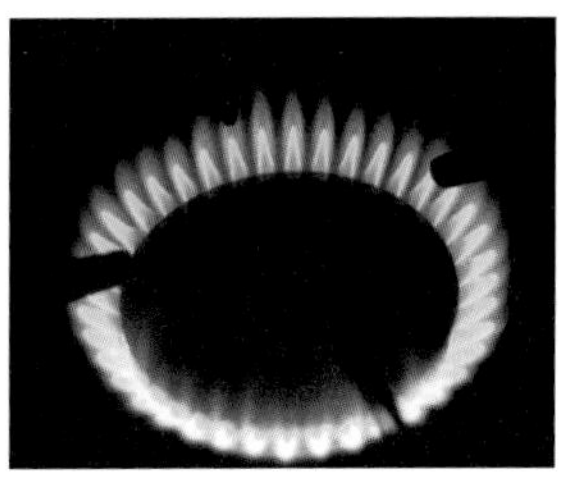

- 작품 제작

조리 기구를 가스 불 중앙 위치에 정확히 올려놓기 위해 아래와 같이 제작하였습니다.

가. 가장자리에서 안쪽으로 일정하게 경사진 4개의 받침대를 제작한다.
나. 조리기구 손잡이에 공기방울 수평기를 부착한다.
다. 조리기구가 받침대 위에 올려질 때 한쪽으로 치우치면 공기방울 수평기도 한쪽으로 치우침을 알려주고 공기방울이 정 위치에 올라올 수 있도록 기구를 조절하면 중앙부분에 정확히 놓을 수 있게 된다.

4. 제작 결과

조리 기구를 정확하게 화구 중심 위에 올려놓기 위해 공기방울이 들어있는 수평 장치를 이용하여 조리기구 위치만 간단히 조정해주면 화구 중심에 조리 기구를 정확히 놓을 수 있습니다.

누구나 아주 손쉽게 위치를 조정할 수 있어 불필요하게 한쪽으로 치우쳐서 낭비되는 열을 막고 동시에 조리기구 전체면적에 골고루 열을 가해 열 효율성을 최대로 높이면 빠른 시간에 음식을 조리할 수 있으므로 시간도 절약할 수 있게 됩니다.

생각 열기

■ 본 작품에 나타난 과학적 원리를 응용하여 새로운 작품을 구상해보자.

■ 구상한 작품을 도면으로 나타내 보자.

물 줄 시기를 알려주는 장치

1. 제작 동기

웰빙시대인 요즘은 신선한 실내공기를 위해, 그리고 개인의 취미생활을 위해 집 안에서 작은 나무나 화초를 많이 키우고 있습니다. 이러한 식물들에서 나오는 음이온은 미세먼지를 포함하여 공기를 깨끗하게 정화시켜 우리 몸을 건강하게 해줍니다. 이렇게 웰빙으로 키우는 화분이 바쁜 일상생활이나 여행으로 인해 물을 제때에 주지 못하면 말라죽게 되는데 적당한 시기에 화초에 물을 줄 수 있는 방법은 없을까 연구하게 되었습니다.

■ 문제점

바쁜 일상생활이나 여행으로 인해 물을 제때에 주지 못해 화초가 말라죽는 일이 발생한다.

■ 해결방안

화초에 물을 줄 시기를 알 수 있도록 알림 장치를 설치한다.

2. 작품 요약

화분에 물(습기)이 부족하면 센서가 이러한 상태를 감지하여 멜로디(소리)가 울려 물 줄 시기를 알려주는 작품입니다.

3. 작품 내용

TIP 작품에 적용한 과학적 원리

흙이 가지고 있는 수분의 양을 감지하는 수분 감지기능, 수분이 설정된 양보다 부족하면 물 부족을 알리는 소리알림기능을 설치한다.

막대모양의 긴 전극이 흙의 수분량을 간헐적으로 감시하다가 흙에서 수분의 양이 기준 값보다 적어지면 자동으로 소리를 발생한다.
알람신호를 감지한 사람이 화분에 물을 부어주면 흙이 포함하는 수분의 양을 감지하여 알람을 멈추게 되므로 지속적인 수분을 유지할 수 있다.

■ 작품 제작

조리화분에 물(습기)이 부족하면 습도 감지기가 작동하여 멜로디(소리)가 울리도록 제작하였습니다.

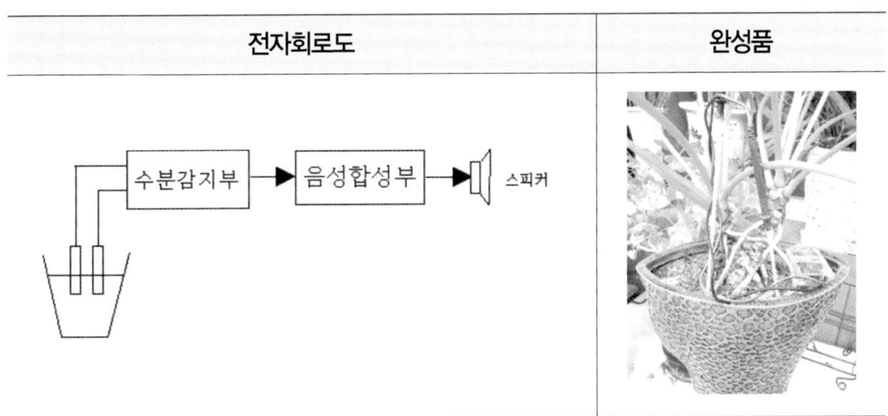

4. 제작 결과

화분 속에 있는 흙이 지나치게 건조하게 되면 심어 놓은 화초가 말라죽게 되는데 습기가 부족하면 감지기 소자가 이를 감지하여 멜로디를 울려 건조한 상태를 알려주게 되어 필요시 물을 주면서 화분을 관리할 수 있습니다.

이로 인해 바쁘게 생활하는 우리들이 가정에서 애지중지 키우는 식물을 말라죽이지 않고 건강하게 관리하며 키울 수 있습니다.

생각 열기

■ 본 작품에 나타난 과학적 원리를 응용하여 새로운 작품을 구상해보자.

■ 구상한 작품을 도면으로 나타내 보자.

➔ 이젠! 불안감 없이 안심하고 횡단하세요

1. 제작 동기

어느 날 강변역 앞에서 보행신호가 녹색불로 바뀌었는데도 횡단하지 않고 서성거리는 사람을 보았습니다. 한참 후에 사람들이 건너가는 것을 알고 따라서 길을 건너는가 싶었는데 횡단보도를 똑바로 보행하지도 못하고 안전선에서 이탈하며 걷는 모습이 무척 위험해 보였습니다. 알고보니 이 사람은 시각장애인이었습니다. 다행히 어떤 아저씨께서 뛰어가 도와주셔서 사고는 없었지만 '만약 아저씨의 도움이 없었다면 어떻게 되었을까?' 라고 생각해보니 정말 무서웠습니다.

제가 목격한 이 위험한 상황을 선생님께 말씀드렸더니 선생님께서는 장애인들이 겪는 여러가지 어려움에 대해 이야기 해주시며 모든 사람들이 장애인의 삶을 이해하고 생활에 불편함이 없도록 많은 배려와 관심을 가져야 한다고 조언해 주셨습니다. 그래서 다시 한번 예전의 그 상황을 떠올려보았습니다. 그리고 언제 어떤 일이 생길지 모르는 위험한 도로 위에서 시각 장애인들이 안전하게 횡단보도를 건너갈 수 있도록 하는 방법에 대해 연구하게 되었습니다.

■ 문제점

횡단보도를 건너는데 보이지 않아서인지 똑바로 보행하지 못하고 안전선에서 이탈하는 시각장애인이 있었다.

■ 해결방안

시각장애인들이 자기 위치와 잔여거리를 알면서 안전하게 횡단보도를 건널 수 있도록 해결방안을 찾는다.

2. 작품 요약

횡단보도 앞에서 대기중인 시각장애인이 오목 홈의 개수를 통해 내가 건널 횡단보도는 몇 차선이고, 건너야 할 거리는 얼마인지를 인지하고 녹색등 점등시 음성신호와 함께 점형블록에서 발생되는 진동을 감지하며 안전하게 출발할 수 있습니다. 넓어지는 폭과 좁아지는 폭을 이용하여 어디까지 왔는지, 잔여 거리는 얼마인지 알 수 있어 앞을 볼 수 없어 찾아오는 불안과 두려움에서 벗어나 안전하게 횡단할 수 있게 도와주는 작품입니다.

3. 작품 내용

TIP 작품에 적용한 과학적 원리

가. 횡단보도

시각장애인들의 안전한 횡단보도 보행을 돕기 위해 고속도로 IC에 설치된 위험방지 안전 오목 홈을 작품에 이용한다.

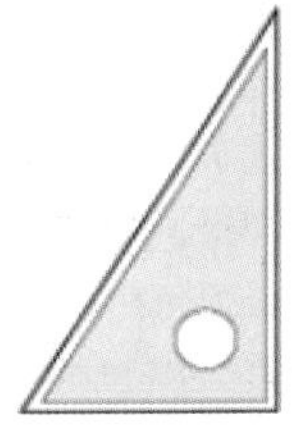

나. 삼각자의 원리

삼각자는 보통 선을 긋는데 사용을 하나 형태를 보면 한쪽은 폭이 넓고 반대쪽으로 갈수록 폭이 점점 좁아지는 형태의 원리를 보고 횡단보도에 적용하여 자기 위치를 알 수 있도록 하였다.

■ 작품 제작

가. 횡단보도 오목 홈

중앙선을 기준으로 삼각형 형태의 오목 홈을 제작하여 폭이 좁아지는 것을 쉽게 감지할 수 있어 자기가 걸어가고 있는 위치를 알 수 있게 하였습니다.

나. 횡단보도 차선을 알 수 있는 장치

횡단보도 시작점에 실제 차선에 맞게 오목 홈을 만들어 지팡이로 바닥을 긁어 건너야 할 횡단보도가 몇 차선인지 미리 알 수 있게 제작하였습니다.

다. 저 시력장애인을 위한 장치 필요

야간에 저 시력장애인이 행단보도를 건널 때 도움을 주고자 오목 홈에 야광 및 형광물질의 페인트를 칠하였습니다.

완성품 : 삼각 오목 홈이 있는 횡단보도 안전보행 장치

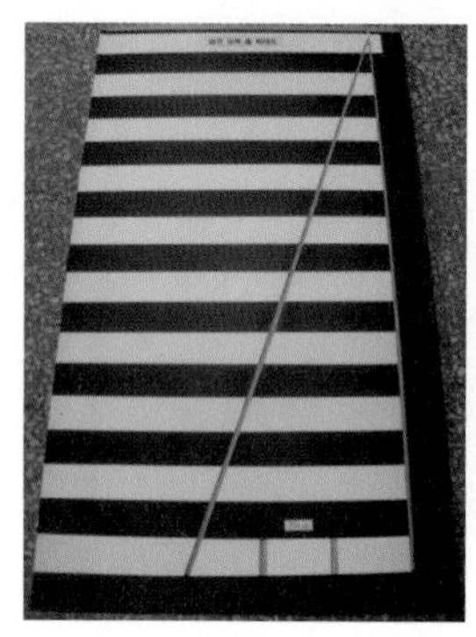

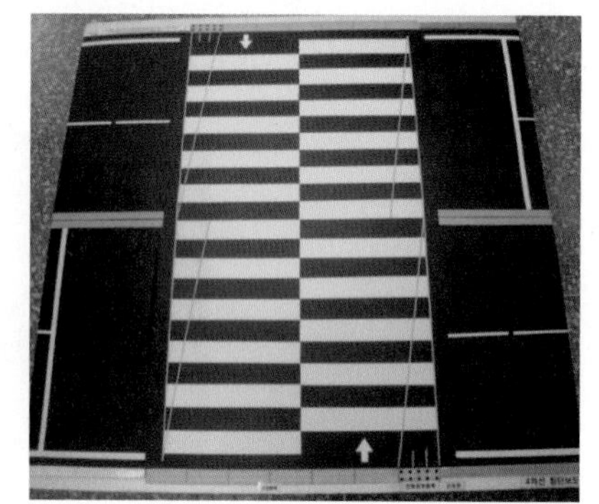

4. 제작 결과

가. 제작결과

작은 사거리에서 횡단하기 위해 출발대기중인 시각장애인이 녹색등 점등시 음성 신호와 동시에 점 형 블록에서 발생되는 진동을 감지하며 안전하게 출발할 수 있으며, 대기하면서 오목 홈의 개수를 통해 몇 차선이고, 건너야 할 거리가 얼마인지, 넓어지는 폭과 좁아지는 폭을 이용하여 어디까지 왔는지 알 수 있으며, 잔여거리가 얼마나 남았는지 알 수 있는 작품으로 앞을 볼 수 없어 찾아오는 불안과 두려움에서 벗어나 안전하게 횡단할 수 있습니다.

나. 효과

장애인들이 횡단보도를 건널 때 발생되는 사고는 1년에 약 51,100(오만천백) 건 이라고 합니다.

이렇듯 위험한 횡단보도에서 시각장애인들은 간단한 삼각 오목 홈의 원리와 점형블록 진동소자의 작동에 의해 안전하게 횡단할 수 있으며, 보이지 않아 발생되는 불안과 두려움을 떨쳐버릴 수 있고, 횡단보도 끝까지 자기 위치를 확인함과 동시에 잔여거리를 감지하면서 횡단보도 안전선을 이탈하지 않고 안전하게 걸어갈 수 있습니다.

생각 열기

■ 본 작품에 나타난 과학적 원리를 응용하여 새로운 작품을 구상해보자.

■ 구상한 작품을 도면으로 나타내 보자.

➔ 튜브바람을 어린이도 쉽게 넣고 뺄 수 있는 장치

1. 제작 동기

여름철 가족 단위로 냇가나 바닷가에 가서 물놀이를 할 때의 필수품은 바로 물놀이 튜브입니다. 물놀이 튜브는 유아부터 어린이, 심지어는 어른까지 많이 사용을 하는데, 물놀이를 할 때마다 튜브에 공기를 넣어주는 것은 보통 일이 아닙니다. 어린 시절에 튜브에 온 힘을 다해 입으로 공기를 불어 넣고는 현기증이 나서 어지러웠던 적이 모두들 한 번씩은 있었을 것입니다.

요즘에는 핸드펌프, 발펌프 등이 보편화되어 시판되고 있지만 이러한 기구를 준비 못한 사람들은 입으로 튜브에 공기를 불어넣어야 합니다.

또한 물놀이를 재미있게 즐기다가 집에 갈 때는 튜브에 공기를 빼내어 부피를 작게 만들어야 하는데 이때 튜브에 공기를 넣는 것처럼 공기를 빼는 과정도 쉽지 않아 어린아이들은 항상 어른에게 의존하고 있는 것이 현실입니다. 이렇듯 여러 가지로 불편하고 복잡한 과정을 거치지 않고 누구나 쉽게 튜브에 공기를 넣고 뺄 수 있는 방법은 없을지 연구해 보았습니다.

- 문제점

  여름철 물놀이를 할 때 튜브에 공기를 넣는 것처럼 공기를 빼는 과정도 쉽지 않아 어린아이들은 항상 어른에게 의존하고 있다.

- 해결방안

  어린아이들을 포함한 누구나 튜브에 공기를 쉽게 넣고, 쉽게 뺄 수 있는 방법을 찾는다.

2. 작품 요약

물놀이 튜브 가장자리에 부착되어 있는 생명줄 양 끝에 장치를 달아 누구나 쉽게 바람을 넣고, 뺄 수 있도록 하였습니다. 특히 생명줄에 부착된 고무줄을 이용하여 튜브를 감아 고무줄의 탄성력에 의해 바람이 스스로 빠지도록 한 작품으로 항상 휴대할 수 있게 하였습니다.

3. 작품 내용

TIP 작품에 적용한 과학적 원리

튜브 생명 줄 + 공기 주입기 + 공기 배출기 + 고무줄

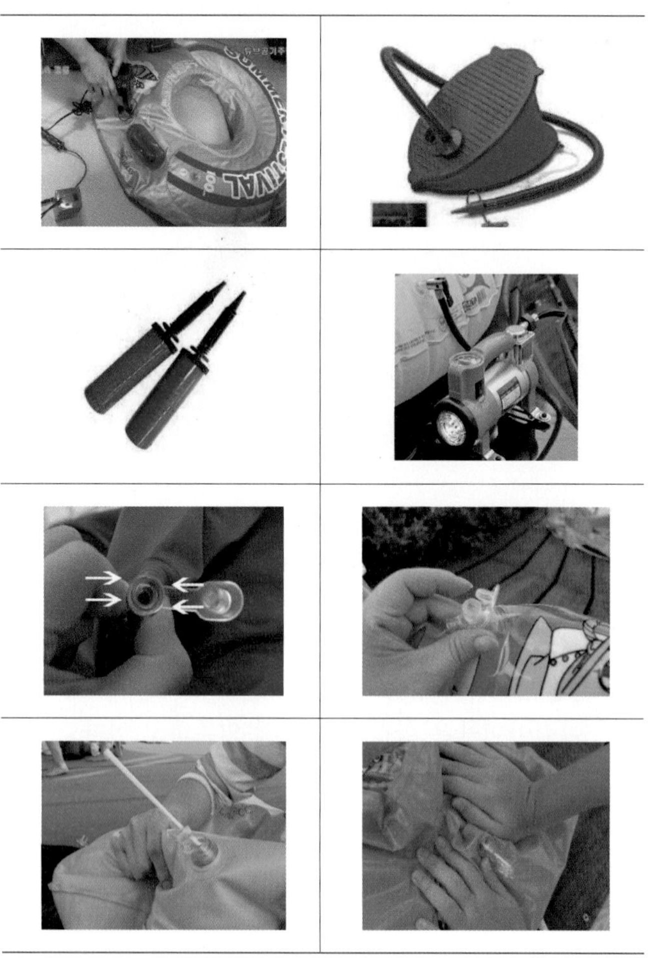

■ 작품 제작

어린아이를 포함하여 누구나 쉽게 튜브에 공기를 주입하고 배출할 수 있도록

첫째, 튜브 생명줄 한쪽 끝에 공기를 쉽게 불어 넣을 수 있는 장치를 달아 누구나 쉽게 공기를 불어 넣을 수 있도록 하였습니다.

둘째, 튜브 생명줄 한쪽 끝에 공기를 쉽게 뺄 수 있는 장치를 달아 누구나 쉽게 공기를 뺄 수 있도록 하였습니다.

셋째, 생명줄 한쪽 끝에 탄력성이 있는 고무줄을 부착하여 공기가 들어있는 튜브에 감아 고무줄의 힘으로 스스로 바람이 빠지도록 하였습니다.

4. 제작 결과

튜브 가장자리에 부착된 생명줄 양단에 공기주입기, 공기배출기, 고무줄을 달아 제품을 완성하였습니다.

완성품

■ 작품 시연

튜브에 공기 주입	튜브 공기 배출	튜브 고무줄 감아 공기빼기

가. 튜브에 바람 넣기

생명줄 한쪽 끝에 긴 관을 달아 공기를 누구나 쉽게 넣을 수 있도록 하였습니다.

나. 튜브에 바람 빼기

① 생명줄에 연결된 고무줄을 이용하여 공기가 들어있는 튜브를 감아 고무줄의 탄성력에 의해 튜브를 조이게 하여 이 힘에 의해 바람이 자동으로 빠질 수 있도록 하였습니다.

② 튜브 바람을 뺄 때 보통 튜브마개의 특성을 잘 아는 사람들이 사용하는 나무젓가락 및 이쑤시개를 대신할 수 있는 재질이 부드럽고 구멍이 있는 장치를 제작, 튜브 마개에 끼워 넣으면 바람이 배출되도록 하였습니다.

③ 튜브 안전 이중마개의 위치를 표시함으로 바람 배출장치의 삽입 위치를 알 수 있게 하였습니다.

다. 튜브 고무줄 감아 공기 빼기

공기가 들어있는 튜브를 팔로 계속 누르지 않고 고무줄로 감아 놓으면 어느 정도 고무줄의 탄성력에 의해 자동으로 빠질 수 있도록 하였습니다.

■ 작품 결론

기존 튜브 둘레에 끼여있는 생명줄 양 끝을 이용하여 공기를 불어 넣을 수 있는 관을 부착하고, 동시에 한쪽 끝에 배출장치를 달아 어린이들도 쉽게 바람을 뺄 수 있도록 하였습니다. 특히 고무줄의 탄성력을 이용하여 누르지 않아도 바람을 뺄 수 있어 시간상 많은 절약을 할 수 있습니다.

또 어린이들이 물놀이 튜브를 사용하고자 할 때 스스로 바람을 불어넣거나 뺄 수 있어 어른을 의존하지 않아 자립심을 키울 수 있습니다.

또 사용방법이 간단하여 어린이를 포함하여 남녀노소 누구나 쉽고 자유롭게 사용할 수 있다고 생각합니다.

생각 열기

■ 본 작품에 나타난 과학적 원리를 응용하여 새로운 작품을 구상해보자.

■ 구상한 작품을 도면으로 나타내 보자.

컵라면 증기 방출을 막아주는 장치

1. 제작 동기

컵라면은 면이 얇아 더 맛있고 시간도 절약되어 간식으로 자주 먹곤 합니다. 컵라면을 먹기 위해서 용기에 뜨거운 물을 붓고 라면을 익히도록 밀봉을 하는 과정에서 용기 뚜껑이 제대로 닫히지 않아 증기가 빠져나가 내용물이 익는데 시간이 오래 걸리는 경우가 발생합니다. 이런 점을 해결하기 위해 대부분 뚜껑을 닫고 용기 위에 다른 물건을 올려놓아 증기의 배출을 막지만, 올려놓을 것이 없을 때는 젓가락 같은 가벼운 물체를 이용해 증기의 배출을 막곤 합니다.
이러한과정들이 신경쓰이고 불편하여 개봉된 컵라면 뚜껑을 고정시킬 수 있는 새로운 장치를 만드는 방법은 없을까 연구하게 되었습니다.

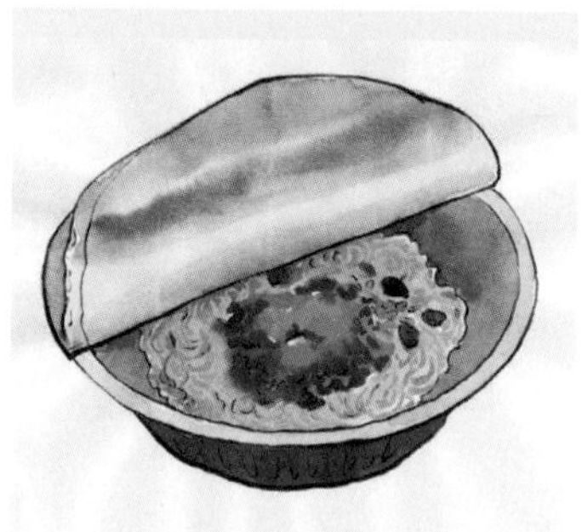

■ 문제점

컵라면에 뜨거운 물을 붓고 라면을 익히도록 밀봉을 하는 과정에서 용기 뚜껑이 제대로 닫히지 않아 라면이 익는데 시간이 오래 걸리고 물이 식어 내용물이 잘 익지 않는 경우가 발생한다.

■ 해결방안

컵라면 용기 속에 들어있는 뜨거운 증기가 빠져나가지 않도록 뚜껑을 단단하게 결속 시킬 수 있는 간편한 방법을 찾는다.

2. 작품 요약

본 작품은 컵라면에 끼워 개봉된 뚜껑을 고정시키는 '컵라면 뚜껑 고정 장치'로 개봉된 용기에 뜨거운 물을 넣고 제작된 고정기를 회전시켜 개봉된 부분을 막아 음식물이 익을 때까지 증기가 빠져나가지 않도록 하였습니다.

3. 작품 내용

TIP 작품에 적용한 과학적 원리

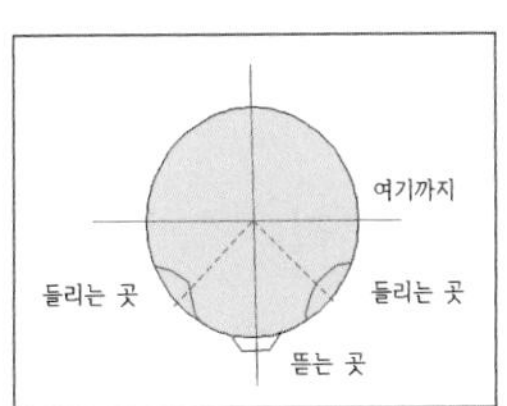

사발모양의 컵라면을 개봉하였다가 뚜껑을 닫았을 때 어디에 틈이 생기는지 관찰했더니 '뜯는 곳' 이라고 되어 있는 뚜껑의 돌출된 부분과 '여기까지' 라고 되어 있는 제한선 사이에 틈이 생겼다. 컵라면을 개봉하게 되면 뚜껑은 처음 접착력을 잃게 되어 '뜯는 곳' 하나에 의지하여 뚜껑을 닫아야 하는데, 완전히 밀봉하기에는 역부족이다.

■ 작품 내용

이러한 원리를 이용하여 아래와 같이 작품을 제작하기로 하였습니다.

가. 컵라면에 물을 부을 때 뚜껑이 180°. 즉 반만 열리게 한다.

나. 뚜껑을 고정시키는 장치를 달아 뜨거운 물의 증기가 새는 것을 막는다.

다. 두꺼운 책이나 무거운 물체가 없어도 사용할 수 있도록 한다.

라. 빨대 정도의 두께와 크기로 잘 휘어지고 단단하며 내열성도 있는 재료로 제작한다.

완성품 : 컵라면 뚜껑 고정 장치

4. 제작 결과

■ 작품 분석

컵라면 뚜껑 고정 장치를 제작한 결과

가. 고정 장치가 개방된 컵라면 뚜껑과 용기를 단단하게 눌러주어 뜨거운 증기가 새어 나가는 것을 막고 동시에 물이 쏟아지는 것도 막아 주었습니다.

나. 컵라면 뚜껑을 부드럽게 눌러주면서 180° 회전이 잘 되었습니다.

다. 본 작품으로 인해 두꺼운 책이나 묵직한 것을 올려놓지 않아도 뜨거운 증기가 새는 것을 막을 수 있었습니다.

■ 작품 결론

컵라면은 바쁜 현대인의 욕구를 충족시키기 위해 탄생한 편리한 인스턴트식품 중 하나입니다. 컵라면을 조리할 때는 뜨거운 물을 붓고 음식물이 익을 때까지 뚜껑을 닫아 열손실을 막아야 합니다. 이때 뚜껑이 열리지 않게 덮어 놓거나 손으로 잡고 있어야 하는 불편함이 있습니다. 자칫하다가 뜨거운 물이 담긴 음식물이 쏟아지거나 하여 손에 화상을 입을 염려도 있습니다.
이번 아이디어 제품은 뚜껑 고정 장치가 있는 부분까지 뚜껑이 열리게 되어 있으며, 열손실을 막아 효율적으로 내용물을 익히고, 또한 안전성을 확보하여 화상과 같은 사고를 미연에 방지할 수 있습니다.

생각 열기

- 본 작품에 나타난 과학적 원리를 응용하여 새로운 작품을 구상해보자.

- 구상한 작품을 도면으로 나타내 보자.

환경을 생각하는 졸라맨

1. 제작 동기

여러 가닥의 전선이나 LAN선, 케이블을 묶을 때 사용하는 케이블타이(Cable Tie)는 일회용으로 사용되고 있습니다. 한번 사용한 케이블타이는 풀기가 힘들어 묶인 케이블타이를 당연한 듯이 잘라 버리는 경우가 대부분입니다.

이렇게 잘라지는 케이블타이가 일회용으로 사용되는 것이 너무 아깝고 자원낭비인 것 같아 반영구적으로 사용할 수는 없을까? 또한 일상생활의 여러 방면에 다용도로 사용할 수는 없을까? 연구하게 되었습니다.

- 문제점

  한번 사용한 케이블타이는 재작업을 할 때 케이블타이를 풀 수 없어 묶인 케이블타이를 잘라 버리는 경우가 대부분이다.

- 해결방안

  케이블타이가 일회용으로 사용되는 것이 너무 아깝고 자원낭비이고 환경오염까지 발생하므로 반영구적으로 사용할 수 있는 방법을 찾는다.

2. 작품 요약

본 발명품은 케이블타이를 반영구적으로 사용할 수 있도록 개조한 제품입니다. 원형의 훌라후프가 끊어지는 모습을 통해 영감을 받아 케이블타이를 분리할 수 있으면 반영구적으로 쓸 수 있다는 발상을 바탕으로 케이블타이를 개조하였습니다. 케이블타이의 머리 사각 홈 앞부분에 개방하는 장치를 추가하고, 몸체 끼움 고정 장치를 제작하여 부착하였습니다.

3. 작품 내용

TIP 작품에 적용한 과학적 원리

- 결속된 케이블타이가 빠지지 않는 이유

  케이블타이는 사각형의 머리 부분 홈 속에 몸체를 끼워 물체를 묶는데 이 과정을 보면 머리 부분에 있는 홈에 몸체에 부착된 삼각기어형태의 돌기부분이 삽입될 때 두 빗면이 만나 잘 들어가지만 나올 땐 역삼각형의 기어형태의 돌기가 맞물려 강한 결속력을 갖게 되어 절대 빠지지 않는다.

  이로 인해 조여서 묶는데만 사용하는 일회용제품으로 이용되고 있다.

■ 작품 구상

원형의 훌라후프 안에서 기차놀이를 하다가 훌라후프의 연결 이음새가 끊어져 한명의 어린이가 훌라후프 밖으로 빠져나가 엉덩방아 찧는 것을 보고 결합된 케이블타이도 분리할 수 있겠다는 착안이 떠올라 연구하게 되었다.

■ 작품 제작

가. 케이블타이 사각머리 홈 몸체넓이의 $\frac{1}{2}$ 을 칼로 도려내어 개방하였습니다.

나. 케이블타이를 반영구적, 다용도로 사용하기 위해 캐릭터를 부착하였습니다.

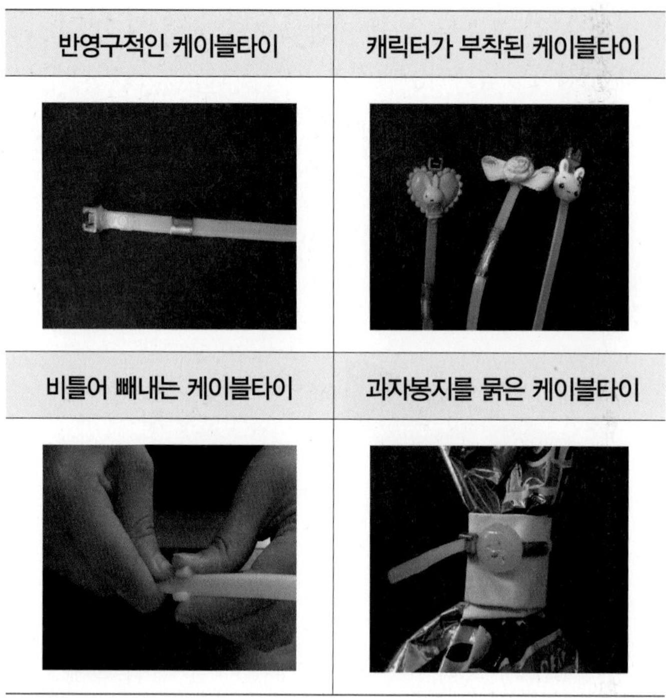

4. 제작 결과

■ 작품 분석

가. 새로운 홈의 제작으로 일회용으로 사용되었던 케이블타이를 쉽게 묶고 풀 수 있게 하여 반영구적으로 사용할 수 있게 하고 이로 인해 자원절약을 할 수 있는 제품이 되었습니다.

나. 케이블타이는 이젠 일회용품이 아닌 반영구적으로 사용할 수 있는 제품으로 환경오염을 시키는 제품에서 벗어나 일상생활에 더 사랑받는 제품이 되었습니다.

다. 일회용품으로 취급받아 제품을 잘라 버리던 기존 제품을 반영구적으로 사용할 수 있어 자원의 낭비를 막아 자원절약 효과를 높일 수 있게 되었습니다.

■ 작품 결론

우리 생활에 많이 쓰이는 케이블타이는 이제 일회용품이 아닙니다. 일회용품이었던 케이블타이에 간단한 원리를 적용하여 반영구적이면서 다용도로 누구나 쉽게 사용할 수 있게 되었습니다. 조작이 간단하며 제작 단가가 전혀 들지 않고 예쁜 캐릭터까지 부착되어 과자봉지를 포함하여 묶고 조이는 모든 곳에 잘 활용될 수 있을 것이라고 생각합니다.

생각 열기

■ 본 작품에 나타난 과학적 원리를 응용하여 새로운 작품을 구상해보자.

■ 구상한 작품을 도면으로 나타내 보자.

➔ 기다림 뚝! 점성이 있는 액체 보관 개량용기

1. 제작 동기

가족들의 맛난 식단을 위해 어머니는 매일 음식을 볶고 조리며 바쁘게 요리를 준비하십니다. 특히 직장을 갖고 있는 어머니는 아침 일찍 일어나 바쁘게 손을 움직여 요리를 단시간에 준비해야만 온가족이 아침식사를 마치고 각자 직장과 학교에 갈 수 있습니다.

이렇게 바쁘게 음식을 준비할 때 사용되는 주방기구나 재료들이 사용하기에 불편함을 주고 짜증나게 하는 경우가 더러 있습니다. 하루를 시작하는 중요한 시간에 이런 불편함과 짜증은 스트레스가 될 수 있기 때문에 불편함은 개선해야한다고 생각합니다.

어느 날, 어머니께서 멸치볶음을 하시는데 물엿을 넣는 과정에서 용기에 들어있는 물엿의 양도 적었지만 점성이 강한 물엿이 용기 밑바닥에서 출발해 입구까지 나오는데 많은 시간이 걸리고 잘 안 나와 애태우는 모습을 보고 어떻게 하면 점성이 강한 물엿을 빠르게 나오게 할 수 있을까? 연구하게 되었습니다.

분석

- 문제점

점성이 강한 물엿이 용기 밑바닥에서 출발해 입구까지 나오는데 많은 시간이 걸리고 잘 안 나와 애태우는 모습을 보았다.

- 해결방안

점성이 강한 물엿이 신속하게 이동할 수 있는 방법을 찾는다.

2. 작품 요약

점성이 큰 액체가 들어 있는 용기의 몸체를 2중으로 제작하여 마개 입구까지 이동한 일정한 양이 용기 바닥까지 내려가지 않고 머물러 있어 사용 시 용기를 기울이면 액체가 신속하게 배출될 수 있도록 만들어 시간을 단축할 수 있는 작품입니다.

3. 작품 내용

TIP 작품에 적용한 과학적 원리

점성이 강한 꿀과 물엿을 신속하게 배출할 수 있게 개선한다.

공간을 둘로 나눈다.	공간을 둘로 나눠 액체를 이동시킨다.

- 점성이 강한 물엿과 꿀을 사용하는 이유

  음식의 단맛을 내는 데는 여러 가지 재료가 사용된다. 전에는 설탕과 화학적으로 만들어진 당원을 많이 사용하였다. 그러나 요즘에는 설탕이 성인병의 원인이 된다는 과학적 사실과 음식을 딱딱하게 과자 형태로 만들어 음식의 참 맛을 가린다는 단점이 있어 되도록 사용을 자제하고, 몸에 좋은 꿀과 물엿을 많이 이용하고 있다.

■ 작품 제작

물엿과 벌꿀과 같은 점성이 강한 액체가 용기에서 신속하게 배출될 수 있도록 아래와 같이 제작하였습니다.

용기 상단부분을 칼로 자르고	배출구 위쪽에 끼워 접착제로 부착한다.

완성품	

앞쪽 용기바닥에 모여 있던 물엿이 배출구로 신속하게 이동한다.	

4. 제작 결과

■ 작품 분석

점성이 강한 물엿과 벌꿀은 잔량이 남았을 때 밑바닥에서 배출구까지 이동하는데 걸리는 시간이 길어 많은 주부들이 불편함을 느꼈으나 고정관념을 깨고 2중바닥으로 제작을 한 결과 용기 속 앞부분에 저장된 액체가 배출구까지 이동하는 거리가 짧아져 작은 불편함을 해결하게 되었습니다.

■ 작품 결론

바쁜 현대생활에서 작은 불편함으로 받는 불쾌감과 짜증은 심한 스트레스를 줍니다. 주방에서 요리를 할 때 사용되는 점성이 강한 물엿과 벌꿀은 잔량이 남았을 때 배출구까지 이동하는데 걸리는 시간이 길어 많은 주부들이 불편함을 느낍니다. 고정관념을 깨고 2중바닥으로 제작을 한 결과, 액체가 흐르는 거리를 짧게 해줌으로서 신속하게 이동할 수 있어 많은 주부들의 작은 불편함을 해결해준 좋은 작품이 되었습니다. 제작비용이 저렴하고 간단해서 많은 주부들의 사랑을 받으리라 생각됩니다.

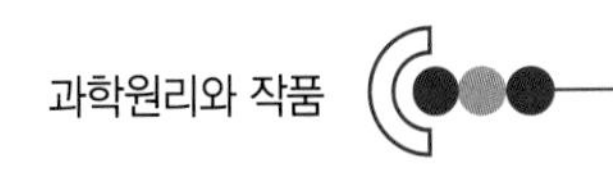

생각 열기

■ 본 작품에 나타난 과학적 원리를 응용하여 새로운 작품을 구상해보자.

■ 구상한 작품을 도면으로 나타내 보자.

자동차 정전기를 막을 수 있는 장치

1. 제작 동기

자동차를 타고 내리는 과정에서 자동차 문을 여닫기 위해 손을 대는 순간 손끝이 짜릿해서 깜짝 놀라는 경우가 종종 있습니다. 날씨가 건조할 때 많이 생기는 정전기 때문입니다. 정전기를 없애기 위해서 자동차의 머플러에 정전기 방지기를 사서 달았더니 정전기 방지에는 효과가 있었지만 바닥과의 마찰로 쉽게 닳아 매번 길이를 조정해주고 갈아줘야 하는 번거로움이 있었습니다. 이런 번거로움을 없앨 수 있는 방법은 없는지 연구하게 되었습니다.

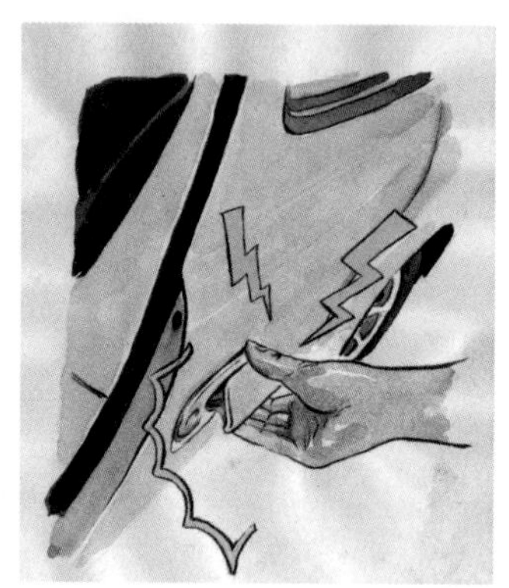

■ 문제점

자동차를 타고 내리는 과정에서 자동차 문손잡이에 손을 대는 순간 손끝에 발생하는 정전기 때문에 깜짝 놀란 적이 있다.

■ 해결방안

자동차 문손잡이를 잡아도 정전기가 발생하지 않는 새로운 방법을 찾는다.

2. 작품 요약

자동차 정전기를 방전시키기 위해 주차브레이크를 올리면 정전기방지 접지줄이 내려와 땅에 접지되고 주행하기 위해 주차브레이크를 내리면 방지 접지선 줄이 올라가서 차가 달려도 땅에 닿지 않아 영구적으로 사용할 수 있는 작품입니다.

3. 작품 내용

TIP 작품에 적용한 과학적 원리

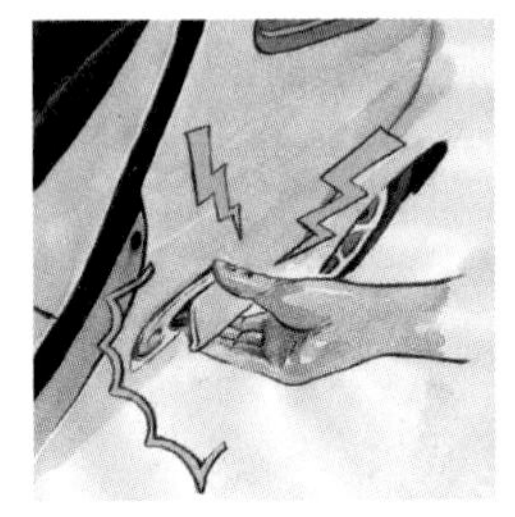

- 자동차에 정전기가 발생하는 이유

  정전기가 쌓이는 이유는 자동차의 타이어 때문이다. 타이어는 고무로 만들었기 때문에 절연성이 아주 좋다. 따라서 자동차에서 발생하는 정전기가 지면으로 방전이 안 되는 것이다.

  그래서 자동차 차체에 도전선 테이프나 쇠사슬 등을 연결해 지면으로 떨어뜨려 정전기를 방전시키는 것이다.

  유조차의 경우 기름 담는 통이 원통으로 되어 있고, 또한 차에 쇠사슬을 늘어뜨려 놓는 것도 모두 정전기를 방지하기 위해서이다.

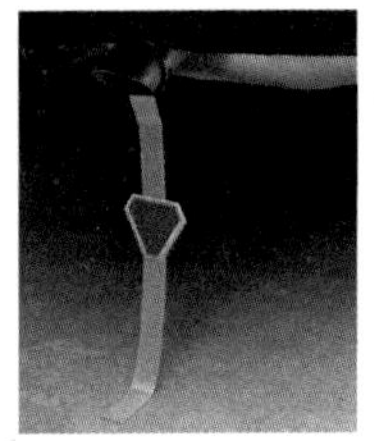

- 자동차 정전기 방지 벨트 분석

  자동차의 정전기 때문이고 정전기를 없애기 위해 자동차의 머플러에 정전기 방지제품을 달고 다니는데 금방 닳아서 못쓰게 된다. 다른 제품도 있지만 바닥에 접지하는 제품만큼 효과도 없고 갖고 다니기도 불편하다.

■ 작품 제작

자동차가 달리면 정전기 방지기가 올라가고, 주차하면 정전기 방지기가 자동으로 내려오도록 하였습니다.

방지기의 오르내림을 자동으로 조절할 수 있는 장치를 고민하던 중, 자동안테나를 거꾸로 달고 방지기를 연결하면 자동으로 길이가 조절된다는 사실을 발견하였습니다. 별도의 스위치없이 시동스위치나 주차브레이크에 연결하여 방지기의 길이를 자동으로 조절할 수 있는 자동차 정전기 방지장치를 제작하기로 하였습니다.

① 접지식 정전기 방지제품의 기초 자료를 이용하여 작품을 설계한다.
② CD ROM을 이용하여 회로를 만든다.
③ 자동차의 핸드브레이크를 이용하여 스위치 역할을 할 수 있게 제작한다.
④ 모든 회로를 전선으로 각 부품을 연결하고 12V의 전원을 공급한다.
⑤ 핸드브레이크를 내리면 모터가 돌아 접지선 줄을 당겨 줄이 올라가고, 핸드브레이크를 올리면 모터가 역방향으로 작동하여 접지선 줄이 내려와 땅과 접지된다. 이로 인해 차가 달려도 땅에 닿지 않는다.

카터칼을 이용하여 핸드브레이크 제작	CD – ROM을 이용한 길이 조절 장치
정차 시 – 접지선이 내려옴	**차량 운행 시 – 접지선이 올라감**

4. 제작 결과

■ 작품 분석

자동차의 손잡이를 잡을 때 발생하는 정전기를 방지하고자 주차브레이크를 올리면 정전기방지 접지줄이 내려와 땅에 접지되고, 주행을 하기 위해 주차브레이크를 내리면 방지 접지선이 올라가 땅에서 떨어져 차가 달려도 땅에 끌리지 않아 영구적으로 사용할 수 있게 되었습니다.

■ 작품 결론

가. 주차 및 정차 시 주차브레이크 작동만으로 정전기를 막아 누구나 편리하게 사용할 수 있습니다.

나. 다른 제품에 비해 정전기 방지 효과가 높고, 방지기를 교체할 필요가 없어 타제품보다 경제적입니다.

생각 열기

■ 본 작품에 나타난 과학적 원리를 응용하여 새로운 작품을 구상해보자.

■ 구상한 작품을 도면으로 나타내 보자.

자세를 교정할 수 있는 장치

1. 제작 동기

삼촌은 허리가 좋지 않습니다.
일명 척추측만증으로 고생하고 계시는데 이 증세는 여러가지 다양한 원인이 있지만 대부분의 경우 자세가 바르지 않을 경우 많이 발생한다고 합니다. 가방을 한쪽으로 매거나 똑바로 앉아있기를 힘들어하는 현대인이 조심해야 하는 병이기도 합니다. 이렇게 한쪽으로 쏠리고 쳐진 어깨를 교정하기 위해 바른 자세를 유도하고 유지할 수 있는 장치를 연구하게 되었습니다.

분석

- 문제점

  대부분 바르지 않은 자세에서 오는 이상이나 통증에 의해 발생하는 기능성 척추측만증은 가방을 한 쪽으로 매거나 앉는 자세가 바르지 못할 경우 발생하는데 어린 아이들부터 성인까지 다양하게 증세를 호소하고 있다.

- 해결방안

  한쪽으로 쏠리고 처진 어깨를 조기에 교정하기 위해 바른 자세를 유도할 수 있는 방법을 찾는다.

2. 작품 요약

어깨가 한쪽으로 자기도 모르게 기울어지고 쳐지면 기울기 감지기가 이를 감지하고 진동으로 알려줘 자세를 바르게 교정할 수 있도록 한 작품입니다.

3. 작품 내용

TIP 작품에 적용한 과학적 원리

- 척추측만증이란

  정상적인 척추는 정면에서 볼 때 일직선이며, 옆에서는 경추와 요추는 앞으로 휘어 있고, 흉추와 척추부는 뒤로 휘어 있는 것이 정상이다.
  그러나 척추측만증은 정면에서 보았을 때 C자 혹은 S자 형태로 휘어 있거나 회전하는 등 척추가 변형된 상태를 말한다.

정상		척추측만증	

- 척추측만증 원인

  척추측만증은 바르지 못한 자세에서 오는 이상이나 통증에 의해 발생하는 기능성 척추측만증과 척추의 구조 자체에 변화가 일어나는 특발성 척추측만증으로 나눌 수 있다. 기능성 척추측만증은 척추 구조에 변화가 없지만 가방을 한쪽으로 매거나 앉는 자세가 바르지 못할 경우 발생한다. 자세 외에도 다리 길이가 다르거나 허리디스크나 척추의 종양에 의해 척추 측만증이 발생하고 특발성 척추 측만증은 태아 때부터 척추 구조에 이상이 생기거나 뇌성마비, 소아마비, 척추신경 손상으로 발생하지만 대부분 원인을 알 수 없는 경우가 많다.

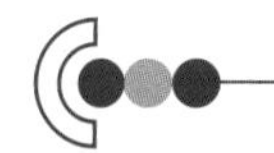

- 척추측만증 증상

외형적으로 어깨와 골반, 쇄골의 높이가 다르다. 등을 앞으로 90도 구부리면 한 쪽 등이 다른 쪽 등보다 더 위로 튀어나와 보인다. 측만증이 증가하면 요통이 심해지고, 저린감이 느껴지기도 하는데 굽어진 곡선이 심한 경우 폐 기능 저하로 폐활량이 감소하여 호흡 곤란이 올 수도 있다.

■ 작품 제작

어깨 한쪽이 자기도 모르게 기울어지고 쳐지면 기울기 감지기가 이를 감지하고 진동으로 알려주어 자세를 바르게 교정할 수 있도록 제작하였습니다.

가. 기울기감지센서를 이름표와 같이 몸에 착용하는 방식과 자바라가 부착된 벨트로 착용할 수 있는 방식 2가지로 제작하여 실내에서 혹은 외출 시 한쪽으로 쳐지는 어깨와 몸의 형태를 감지할 수 있도록 하였다.

나. 무의식적으로 어깨가 한쪽으로 기울어지면 기울기 센서가 감지하고 바른 자세로 교정할 수 있도록 진동소자를 통해 경고 진동이 발생되도록 하였다.

다. 바른 자세를 유지하기 위해 1차적으로 자바라 형태의 휨이 좋은 금속과 벨트를 이용하여 제작하였다.

라. 감지센서를 소형으로 제작하여 외출 시에도 불편함이 없도록 하였다.

마. 한쪽으로 기울어지는 어깨와 가슴 윗부분에 기울기 감지센서를 달아 무의식적으로 기울어지는 것을 감지하여 진동으로 알려줄 수 있도록 하였다.

자바라 금속에 기울기 센서가 부착됨		착용하기가 편리한 소형 감지센서	
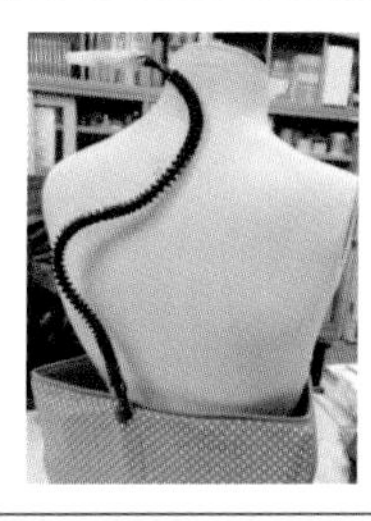		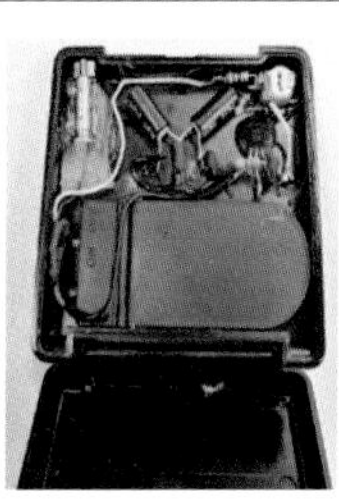	

4. 제작 결과

■ 작품 분석

자기도 모르게 굳어진 좋지 않은 자세를 바른 자세로 고치기란 참으로 어려운 일이라고 생각합니다. 환자들의 외적 요인을 보면 무의식적으로 편한 자세를 취하다 보니 자세 중심이 한 쪽으로 기울어지게 되고 이렇게 기울어진 행동이 자기도 모르는 사이에 반복되어 척추가 자연스럽게 굽어지게 되는 것입니다. 이렇게 오는 척추측만증을 스스로 치료하기 위해 기울기 감지기를 이용하여 경고 진동을 주어 자세를 교정하면 좋지 않은 자세를 취하는 어린이부터 어른은 물론 초기 척추측만증 증세를 겪는 환자들에게 많은 도움을 줄 수 있을 것입니다.

생각 열기

- 본 작품에 나타난 과학적 원리를 응용하여 새로운 작품을 구상해보자.

- 구상한 작품을 도면으로 나타내 보자.

내 마음대로 뚫고 싶은 위치에 구멍을!

1. 제작 동기

종이에 구멍을 뚫을 때 펀치를 많이 사용합니다. 우리 집에 있는 펀치는 2개의 구멍을 동시에 뚫어 파일철에 끼울 수 있도록 되어있는 2공 펀치인데 이 펀치를 이용하여 A4용지 한가운데에 하나의 구멍을 뚫으려고 하면 종이가 구겨지고 심지어는 원하지 않는 곳에 필요 없는 구멍이 뚫리는 경우도 있어 무척 불편하였습니다. 그렇다고 1공 펀치를 또 구입하자니 낭비인 것 같아 아까운 생각이 들었습니다. 그래서 어떻게 하면 2공 펀치로 하나의 구멍 또는 두 개의 구멍을 자유자재로 뚫을 수 있을까 연구하게 되었습니다.

■ 문제점

보통 가정에서 많이 사용하는 2공 펀치를 이용하여 A4용지 한 가운데에 구멍을 뚫으려고 하면 종이가 걸려 구겨지고 심지어 원하는 위치에 구멍을 억지로 뚫었다 해도 다른 곳에 또 구멍이 뚫려 원하는 구멍을 자유롭게 뚫기가 무척 어렵다.

■ 해결방안

2공 펀치로 하나의 구멍 또는 두 개의 구멍을 마음대로 뚫을 수 있는 방법을 찾는다.

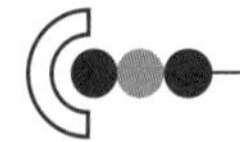

2. 작품 요약

기존 펀치는 펀치 날 수에 따라 종이에 구멍을 뚫었는데 이 작품은 펀치하나로 1개의 구멍과 2개의 구멍을 자유롭게 뚫을 수 있습니다.

3. 작품 내용

TIP 작품에 적용한 과학적 원리

- 트리즈(TRIZ) 분할 기법 적용하기
  - 한 물체를 독립적인 여러 부분으로 나눈다.
  - 물체를 구획화 한다.
  - 물체의 분할 정도를 더욱 높인다.

- 문구점 및 인터넷상에서 판매되는 펀치

1공 펀치	2공 이동펀치	3공 이동펀치

- 펀치

  펀치는 크게 누름판과 구멍을 뚫을 수 있는 날로 이루어져 있는데 누름판과 구멍을 뚫을 수 있는 날이 연결되어 누름판을 누르면 날이 함께 움직여 1개, 2개, 3개까지 구멍을 뚫을 수 있다.

■ 작품 제작 과정

펀치 하나로 1개의 구멍과 2개의 구멍을 동시에 뚫을 수 있는 작품을 아래와 같이 제작하였습니다.

가. 손잡이 누름 부분의 한쪽 부분을 잘라 따로 분리하여 작동할 수 있게 한다.

나. 펀치 한쪽 부분을 눌러 두 개의 날이 움직이도록 제작한다.

다. 펀치 한쪽 부분을 눌러 한 개의 날만 작동되도록 한다.

완성품	한 개의 구멍을 만들 때 누름판 오른쪽을 누름	두 개의 구멍을 만들 때 누름판 왼쪽을 누름

4. 제작 결과

기존 펀치는 한 개, 두 개, 세 개의 날로 형성되어 있어 펀치 누름판을 눌렀을 때 날 전체가 움직여 필요한 구멍을 뚫어 사용할 수 있습니다. 보통 가정에서는 2공 펀치를 많이 사용하는데 펀치 누름판을 잘라 분리하여 평소에는 한 개의 날만 작동되고 필요시 두 개의 날이 작동되도록 제작하였습니다. 한 개의 구멍을 뚫을 때는 오른쪽 펀치 누름판을 눌러 한 개의 날만 작동되어 한 개의 구멍을 만들 수 있게 하였고, 두 개의 구멍을 뚫을 때는 왼쪽 누름판을 눌러 두 개의 날이 작동되어 두 개의 구멍을 뚫을 수 있게 하였습니다. 이로 인해 펀치 하나로 필요한 구멍을 자유롭게 뚫을 수 있게 되었습니다.

생각 열기

■ 본 작품에 나타난 과학적 원리를 응용하여 새로운 작품을 구상해보자.

■ 구상한 작품을 도면으로 나타내 보자.

지은이

이재열 운호고등학교 재학 중

수상 - 2016 세계청소년올림피아드4I 발명왕중왕전 금상
제14회 대한민국청소년발명아이디어경진대회 금상
제8회 충청북도고등학생 심폐소생술경연대회 도지사상
2015 전국학생과학창의대회 금상
제2회 전국 중·고교 창의발명논술대회 대상
2015 청소년 북토큰 도서 독후감대회 은상
제12회 전국 청소년 저작권 글짓기대회 입선
특허 3건 및 실용신안 2건 등록

E-mail - dufwo2222@naver.com

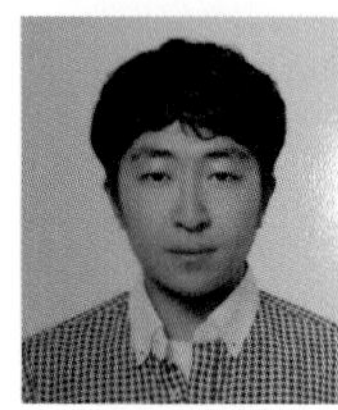

김윤수 부원고등학교 재학 중

수상 - 2016 세계청소년올림피아드4I 발명왕중왕전 금상
2016 세계청소년올림피아드4I 팀대항전 금상
2015 전국학생창의대회 은상
제38회 전국학생과학발명품대회 장려상
제8회 대한민국녹색성장 학생생활발명대회 금상
제2회 전국중고교 창의발명논술대회 금상
제1회 전국중고교 창의발명논술대회 금상
특허 및 실용신안 3건 출원 및 등록

E-mail : fox1011438@naver.com

장지환 양청고등학교 재학 중

수상 - 2016 세계청소년올림피아드4I 발명왕중왕전 금상
2016 전국창업 발명경진대회 최우수상
제8회 전국학생발명아이디어경진대회 대상
(부총리겸 교육부장관상 수상)
제2회 전국 중 • 고교 창의발명논술대회 금상
제13회 대한민국청소년발명아이디어경진대회 금상
제7회 대한민국녹색성장학생생활발명대회 대상
특허 및 실용신안 5건 출원 및 등록

E-mail - jangjh5220@naver.com

김범수 부원고등학교 재학 중

수상 - 2016 세계청소년올림피아드4I 팀대항전 금상
(카이스트총장상)
제39회 경기도학생과학발명품대회 특상
2016 전국창업 발명경진대회 최우수상
제6회 대한민국세계발명창의대회(wucc) 금상
2017년 대한민국청소년발명아이디어 경진대회 은상
제8회 대한민국녹색성장 학생생활발명대회 은상
특허 및 실용신안 3건 출원 및 등록

E-mail - kbs3423@naver.com

지은이

전인기

현재 - 서울교육대학교, 강동대학교 외래교수,
전국창의발명협회 회장, 특허청전국순회강사,
발명진흥회 운영위원회 및 전문강사
수상 - SBS교육대상, 올해의과학교사상, 모범공무원표창,
건국위원회 선정 신지식인, 특허 80여건 등록 및 출원,
대통령·국무총리상외 기타 80여회 수상
저서 - 『발명100제, 발명200제, 발명과 과학 Ⅰ, Ⅱ권, 도전발명왕,
세상과 만나는 지혜, 창업실무』 외 다수
E-mail - inkistar@hanmail.net

장창문

현재 - 부원고등학교 교사, 강동대학교 외래교수,
전국창의발명협회 부회장, 특허청전국순회강사,
발명진흥회발명과학교실강사
수상 - 제4회 올해의 과학교사상, 대한민국신지식인,
제3회 자랑스런 경기인 교육대상, 설봉사도대상,
제3회 대한민국발명교육대상 대상수상,
국무총리 및 장관상 17회, 기타 50회 수상
저서 - 『발명100제, 발명200제, 발명과 과학 Ⅰ, Ⅱ권, 발명멘토링,
도전발명왕, 창업실무』 외 다수 집필
E-mail - jjang5959@hanmail.net

목진유

현재 - 부원고등학교 교사, 강동대학교 외래교수,
충북대학교 농업전문인최고경영자과정 강사,
농촌진흥청 직무연수 강사, 충북 음성군 정책자문위원
한국과학창의재단 심사 및 평가 위원,
한국직업능력개발원 전문가위원
수상 - 전국과학전람회 1등급 수상, 음성우수예술인상
저서 - 『새해농업인 실용교육교재, 한국양봉학회지 학술논문집』
E-mail - tso045@hanmail.net

발행일 2017년 6월 28일 1판1쇄 발행
발행처 도서출판세화
지은이 전인기·장창문·목진유·이재열·김윤수·장지환·김범수
펴낸곳 도서출판 세화

등록번호 1978년 12월 26일 제 1-338호
주소 경기도 파주시 회동길 325-22(서패동 469-2)
편집부 (031)955_9333 영업부 (02)719_3142, (031)955_9331~2
팩스 (02)719_3146, (031)955_9334
웹사이트 www.sehwapub.co.kr

정가 15,000원 ISBN 978-89-317-0890-5 13500